Series

«Russian Decorative

Metalwork»

Серия

«Русский художественный

металл»

Андрей Гилодо

РУССКОЕ СЕРЕБРО

ВТОРАЯ ПОЛОВИНА 19 — НАЧАЛО 20 ВЕКА

БЕРЕСТА

Москва

1994

Andrei Gilodo

RUSSIAN SILVER

MID 19th CENTURY – BEGINNING OF THE 20th CENTURY

BERESTA

Moscow

1994

ББК 85.12
Г47

Серия
„Русский
художественный металл"
основана в 1993 году

The Series
"Russian Decorative
Metalwork"
founded in 1993

Из коллекции
Всероссийского музея
декоративно-прикладного
и народного искусства
(Москва)

From the Collection
of the All-Russian Museum
of Decorative-Applied
and Folk Art,
Moscow

Художник
И.Тер-Аракелян

Designed
by I.Ter-Arakelyan

Фотограф
А.Гидиримский

Photography
by A.Gidirimsky

ISBN 5−7460−0001−9

СОДЕРЖАНИЕ

CONTENTS

PREFACE

The album "Russian Silver: Mid 19th Century — Beginning of the 20th Century" from the collection of the All-Russian Decorative-Applied and Folk Art Museum, Moscow, is the first in a series of joint publications by the Museum and BERESTA Publishing House. The aim is to give an idea of some of the Museum's most valuable exhibits which have fascinated its many visitors as well as experts — artists, art historians, historians and ethnographers.

The Museum was set up in 1981 by the Russian Government following an initiative of leading cultural workers. It was certainly not by chance that it became a centre for the collection, storage, research and popularization of works by applied artists and folk craftsmen. Rather, it was the result of keen public interest in national traditions which themselves serve as a source of spiritual values and form the basis from which people view the world.

In the history of every nation there are times when the search for its national roots becomes especially urgent, when the past seems to reassert itself on the present, giving rise to a sense of national aware-ness. In the art world this always seems to result in conflicts and interactions between the traditional and the innovatory, the old and the new, "one's own" culture and "outside" influences. The consequences of any such struggle are that some things are lost never to be found, while others are gained, and then a certain unity emerges, thus enabling future generations to refer to the style of that period.

Spiritual revival began here long before the current, dramatic changes in the political and economic system. Amongst other things this has led to quite a different approach towards the place of Russia's national cultures in the world and, consequently, to a re-appraisal of the role of traditional art forms.

Over the last 20 years the search and investigations on artistic and theoretical levels have revealed the specific features of decorative and applied art as an expression, through tangible material objects, of modern man's inner turbulence. Thus, a museum specializing in this kind of art was established in the Russian Federation as a result of definite shifts in social consciousness. Yet, at the same time, it also answered the demand for a system of collection and for an adequate understanding of the process taking place in one of this country's most interesting cultural spheres.

The All-Russian Decorative-Applied and Folk Art Museum (a.k.a. "the Museum in Delegatskaya" after the Moscow street in which it stands) occupies an original complex of buildings. During the second half of the 18th century the former city estate belonged to the prominent states-man Count I.Osterman and later, in the early 19th century, to the gifted general Count A.Osterman-Tolstoy. It is in itself, therefore, an interesting historic and architectural landmark. For more than 200 years the buildings were used for a variety of purposes and were modified on numerous occasions. Today, the buildings are undergoing major restoration work because the museum needs to add to its exhibition halls and storage space in order to accommodate its ever-increasing collection.

Initially, the museum's collection consisted of works held by Russia's Ministry of Culture. Later the Union of Artists, folk art and craft centres and other art industries also passed on many valuable exhibits. The Museum then received state funds which enabled it to acquire a number of oustanding possessions. The collection also receives assistance in the form of donations, most notably the gift from G.A.Kubryakov of invaluable works by Russian jewellers dating from the 19th century to the beginning of the 20th century.

We made a deliberate choice when we decided to open this series with a silver collection from the turn of the century. From both the artistic and historical points of view silver holds a special place in the museum's collection. Moreover, it is an area of Russian culture that has not been studied so far and yet it has particular appeal to us because it is also searching for its own national style.

The authors and publishers of the album aim to provide knowledge-able information to professional researchers, collectors and to anyone interested in antiques, and to offer fascinating and vivid educational material to art lovers and the general reader.

V. A. Gulyaev
Director,
All-Russian Decorative-Applied
and Folk Art Museum,
Honoured
Art Worker

INTRODUCTORY
ESSAY

Russian silver from the mid 19th century to the beginning of the 20th century occupies one of the most interesting pages in the annals of Russian decorative and applied art.

From the 1840s onwards a national school began to develop within the general framework of European culture. This school became a dynamic force, embracing Russian silver as well as the whole world of applied art in Russia.

During the second half of the 17th century all spheres of Russian society were affected by the reforms of Peter the Great. By the mid 19th century the effects of this new direction were almost complete and the traditions of European culture in philosophy, aesthetics and art basically mastered. The trend towards Europeanization, which was often forced during Peter's reign, was no longer viewed as something unnatural and alien to national culture. On the contrary, Russian culture was regarded as an integral part of European culture.

However, while considering itself European, Russian society also felt the need to explore the sources of its originality. There was an urgent desire to appeal to Russian history; to understand Russia's past experiences; to assess the logic of this country's historical course; and to search for those traditions and artistic images that could form a basis for developing Russian culture further without losing its identity within of Europe.

This is why the evolution of Russian silver during the latter half of the 19th – beginning of the 20th centuries was noted for the formation of a national style.

The world of images in the decorative silver of this period was inspired by a romantic vision which took applied art on a hitherto-unknown flight of fantasy, and gave it a love for the unusual and unexpected. Romanticism created a spiritual environment which brought to light a whole new world of objects nourished by literary sources and transferred into visual images of applied art in general and into silver in particular.

During the second half of the 19th century Russian art was developing within the limits of the Romantic aesthetics that rejected the system of Classicism and created its own principles. Based on a plurality of historical stylistic distinctions; the use of a combination of earlier styles; the incorporation of diverse elements into a single whole, these principles came to be seen as innovatory and were perceived as a new grand style i.e. Retrospectivism or Bidermeyer.

Passion for the Gothic; Moresque motifs; "chinoiserie"; Renaissance; Baroque; Rococo; and the Oriental style, found its place in Western European as well as in Russian silver. Following this trend, which can be defined as generally European, it is not surprising that in Russian decorative silver particular emphasis was put on reproducing the forms and ornaments of Baroque, Rococo, and Classicism. Objects produced in the styles of the "Second Baroque"; the "Second Rococo" and "Neo-Classicism" reconstructed not only the form and décor of the original, but also imitated the very techniques of 18th century silver: gilding, engraving and pouncing; engraving and niello; repoussé; inclusion of niello medallions with everyday life scenes into decorative ornaments.

Western European historical styles were not the only sources of inspiration for artists and jewellers. In fact, more and more often they turned to the ornamental richness and the brightness of colour of Old Russian applied art.

As a result of this mixture of social preferences two different trends took shape in Russian silver: European historical styles on the one side and on the other the formation of a national version of Eclectism that found its expression in the "Russian style".

The two major Russian centres of silverware production, Petersburg and Moscow, represented these two artistic trends respectively. In Petersburg the Western trend dominated mainly because of the large number of Western European silversmiths and jewellers working in the city while the national school of silver, emerging from the roots of the "Russian style", found its fullest and brightest expression in Moscow.

The "Russian style" not only revealed a completely new and original aspect of Russian silver, it also encouraged the rapid development of the silver business and its structural organization. From this sprang numerous Russian jewellery firms.

The lively jewellery business produced a favourable environment for creativity. From 1829 industrial and art exhibitions were held regularly in Russia and from 1851 Russian firms took part in international exhibitions. All this stimulated ceaseless creative experiments by silver firm owners who were usually themselves silversmiths or jewellers.

Tremendous public interest in all the major art and industrial exhibitions certainly encouraged the perfection of silverware. The industry became very competitive as firms searched for new techniques and technology. The range of items increased considerably as did the high quality of the products.

Russian firms began to work with distinguished artists, sculptors, architects and professional training centres attached to these firms were set up. The OVCHINNIKOV firm opened one such school for the training of artists and craftsmen. This school became one of the most important of its kind.

As early as the mid 19th century the oldest firm, the HOUSE of SAZIKOV, faced competition from a huge number of other firms: GUBKIN, ORLOV, OVCHINNIKOV, NICHOLS and PLINKE; later, in the second half of the century, the firms KHLEBNIKOV, FABERGÉ, GRA-CHEV, LORIÉ, KURLYUKOV, NEMIROV-KOLODKIN, POSTNIKOV etc. sprang up. This abundance of Russian jewellery firms provided a variety of artistic and technical devices in the decoration and handling of silverware. They provided people with an overall view of Russian silver as a single whole and gave it an image. At the same time each firm developed its own distinct specialities. For example, POSTNIKOV became renowned for its filigree wares; OVCHINNIKOV for enameled pieces; KHLEBNIKOV for the imitation of such materials as fabric, wood, birch bark etc.; SEMYONOV became khown for manufacturing niello-decorated objects; SAZIKOV for silver casting and statuettes; GUBKIN for chased silver works; and FABERGÉ for pieces enameled over "guilloché" ground.

Moreover, it was all credit to Russian jewellery firms that Russian silver was introduced to the Western public. SAZIKOV was the first firm to display its products at the International Art and Industrial Exhibition held in London in 1851. Their great success was crowned when they were awarded prizes. For the first time ever an international exhibition included works which opened up the hitherto-unknown world of old Russia rather than pieces bearing motifs from Western European history. Here, for the first time the "Russian style" proclaimed itself as an indepen-dent trend within the boundaries of Retrospectivism (Bidermeyer).

The formation of a national style in Russian decorative silver during the latter half of the 19th century was a time-consuming and complicated process.

Not really until the 1870s and 1880s did the "Russian style" finally assert itself as an original trend among the many other styles of Retrospectivism (Bidermeyer).

Its distinctive character was dominated by the tendency to reconstruct the details and architectural forms of vernacular wooden architecture. Wood was considered a "national" medium and had been used for creative purposes. In Russian silver at that time there was an upset in the balance between the medium and the artistic idea as the latter began to dominate, and the simulation of wood, birch bark or embroidered fabric became a distinctive feature. At this time too the "sculpture of lesser forms" – silver figurines and statuettes – also evolved as part of the "Russian style". Figurines on the theme of Russian hunting, – scenes of falconry and hunting with Russian wolf "Borzoi" hounds or foxhounds, – were very popular. The most successful figurines, however, were the compositions and solitary figures depicting peasants plowing, peasants resting, peasants at festivals, and Russian "troikas".

Of the most popular Russian silver articles there were also such functional pieces as ashtrays in the shape of peasants' bast-shoes or sledges; salt-cellars shaped like Old Russian wooden salt boxes or birch bark wicker boxes; tea-glass holders in the form of village wooden log houses; cake baskets and dishes which simulated birch bark, wicker-works and fabric; beakers in the form of wooden tubs etc.

At this time these was special interest in wares combining silver and enamel, the latter became a very popular decoration for various silver articles.

Towards the turn of the century Russian culture was searching tirelessly for the new aesthetics which were partly responsible for the growth of the "Art Nouveau" style. "Pointing out those features that the Russian Art Nouveau style had in common with many other trends in Western culture at that time contemporaries emphasized its distinct national characteristics..."*

*Борисова Е.А., Стернин Г.Ю. Русский модерн. М., Советский художник, 1990. С. 6

This was largely because the Art Nouveau style in Russia was more closely connected than that of Western Europe to the general cultural heritage of the later 19th century and to its persistent search for national elements in European culture.

Early in the 20th century Russian decorative and applied art, including Russian silver, was considerably influenced by the creative experience of those Russian philosophers and artists who were looking for new ways of furthering the "Russian style". The "Russian style", which in the second half of the 19th century appeared as a national trend within Retrospectivism, took on a new meaning in the context of Art Nouveau aesthetics by the beginning of the 20th century. The national romantic tradition in Russian applied art stopped leaning towards the "archeological" reconstruction of objects from pre-Petrine Russia which had acquired a sense of authenticity. Instead artists turned to Old Russian literature, Russian epic songs "bylina", folk fairy-tales, songs and peasant art traditions. These became the focus as folk elements were introduced into decorative and applied arts.

The folklore influence exerted on the "National-Romantic" style early this century produced a new artistic and aesthetic system. This new system became khown as the "Neo-Russian" or "New Russian" style and it formed part of the Art Nouveau culture and aesthetics.

Three Art Nouveau trends dominated Russian decorative silver: the international European Art Nouveau style; a national version of Art Nouveau associated with the "Neo-Russian" style; and the use of historical styles in the manner of Bidermeyer – those of "Neo-Baroque", "Neo-Rococo" and, above all, the stylistic features of "Neo-Classicism", – thus combining the new forms of Art Nouveau and the ornamentation of historical styles.

On the whole, a range of silver articles, produced in the "Neo-Rus-sian" style early in the 20th century, were still recognizably associated

13

with the forms and décor of objects from the second half of the 19th century. This reflected the popularity of this style among all levels of society whose tastes had developed over the previous period.

Nevertheless, some new features did emerge in Russian silver at the turn of the century. This was especially noticeable in enamel-decorated silverware, which became more widespread than during the last quarter of the 19th century. This was accompanied by a dramatic change in the type of enamel décor itself. Enamel proved particularly suitable for silverware decoration because it gave a definite expression to the "Neo-Russian" style of folklore ideas. The range of enamel colours extended considerably to include many more colours and shades, among them the hitherto-unknown gamut of violet tinges characteristic of Art Nouveau.

Folklore sources determining the kind of artistic representation in silverware with respect to both form-development and decoration stimulated further interest in the Russian enamels from Ussol. This resulted in the discontinued rather dry contours and the partial enamel decoration usually used in the filigree technique being replaced by magnificently rich and luxurient ornamentation of flowers and foliage enameled "en plein". This ornamentation often depicted Russian folklore characters, e.g. the symbolic bird "sirin"; fairy-tale warriors — "bogatyr" etc.

A renewal of Ussol enamel traditions in "Neo-Russian" style silver enabled original pieces with new artistic significance to be created. The national version of Art Nouveau, as manifested in silver, also showed a predilection for the lacquered enamels normally used in the scenes and subjects from Russian epic and fairy-tales and which stylistically-speaking were close to the paintings of Vasnetsov.

This was accompanied by the emergence of new techniques intrinsic to the "Neo-Russian" style alone, e.g. a combination of stamping that simulated chasing or casting with lacquered enamels. A combination of semi-precious or other stones with filigree or painted enamels was also in frequent use. At the turn of the century a truly innovatory technique of decorating silverware also appeared — the so-called translucent or "plique-á-jour" enamels which managed to give objects a refined look of weightlessness. These objects glittered like gems whenever the sun's rays shone on them.

The distinct features of the "Neo-Russian" style were particularly emphasized in the products of such firms as KURLYUKOV, NEMIROV-KOLODKIN, KHLEBNIKOV and OVCHINNIKOV. The firm FABERGÉ deserves a special mention here. Though the "Neo-Russian" style was not predominant in the firm's production, it was reflected in the presentation pieces for which the firm became especially famous. In addition,

FABERGÉ was more consistent than any other Russian jewellery firm in mastering and developing the mass production of silverware and introduced innovatory technology and techniques for the purpose. One FABERGÉ speciality was the creation of numerous articles, which although inexpensive were nevertheless refined and technically magnificent. These were enameled over a "guilloché" ground, i.e. the decoration was mechanically engraved on an object's surface using a special machine-tool and then covered it with transparent multishaded enamel. FABERGÉ was also the first jewellery firm to make extensive use of Ural stones and semi-precious stones in their products.

"Neo-Classicism" was the style of decoration FABERGÉ tended to use. Decorative ornaments or individual details were usually given distinct "neo-classical" features which made the style recognizable. Yet, at the same time, they combined "neo-classical" decoration with the new artistic and compositional characteristics of Art Nouveau. This predilection for "Neo-Classicism" also determined the choice of materials and techniques used for the production of FABERGÉ silverware, e.g. the combination of silver with rock crystal and glass or stone, the use of a stamp for reproducing ornaments in a classical style which visually imitated the manual chasing or casting practised early in the 19th century.

Silver, rock crystal, glass and stone were themselves associated with the image of Classical or Empire style decorative and applied art works in that these materials were also used. At the same time, FABERGÉ, like other Russian jewellery firms, produced a great number of silver objects in the style of European Art Nouveau, especially those inexpensive articles intended for mass reproduction. These silver pieces revealed all the plasticity and texture of the material, its potential in rendering undulating refined Art Nouveau ornamental lines using the most inexpensive and simple technique – the mechanical stamp.

Simultaneously with FABERGÉ, the GRACHEV BROTHERS firm in St. Petersburg, among other Russian jewellery firms in the early 20th century, actively employed European historical styles, – "Neo-Baroque", "Neo-Rococo", "Neo-Classicism", – alongside Art Nouveau. Although almost all Russian jewellery firms paid tribute to the "Neo-Russian" style, FABERGÉ and the GRACHEV BROTHERS were the most consistent and brilliant followers of the general European trend in Russian silver which they developed with respect to style and artistry.

The variety of stylistic, decorative and technical devices used in silverware production from the mid 19th century to the beginning of the 20th century, justifies calling that period a truly "Golden Age" for Russian silver. Painted enamels, "plique-á-jour" enamels, filigree enamels and enamels over a "guilloché" ground used in silverware;

filigree in various silver objects; traditional niello technique; engraving; embossed work "obron" with pouncing; chasing; the use of native stones as well as semi-precious stones; the very many ways of combining materials and techniques, – all these contributed to the treasure-house of national Russian silver.

Eclectic, luxuriant, multicoloured, exquisite, noble, unusual – all these words equally apply to the Russian silver of this period. Thanks to such Russian jewellery firms as SAZIKOV, KURLYUKOV, OVCHIN-NIKOV, FABERGÉ, KHLEBNIKOV, the GRACHEVS, NEMIROV-KOLODKIN, SOKOLOV, POSTNIKOV and a great many others, Russian decorative silver became famous throughout Europe. The national school of Russian silver became an important artistic and aesthetic phenomenon both in Russian and Western European applied art from the mid 19th to the beginning of the 20th century.

■

ВВЕДЕНИЕ

Альбом „Русское серебро: вторая половина 19-го — начало 20-го века" из собрания Всероссийского музея декоративно-прикладного и народного искусства (г. Москва) открывает серию совместных публикаций музея и Издательского дома БЕРЕСТА.

В этой серии предполагается рассказать о некоторых наиболее ценных коллекциях музея, вызывающих неизменный интерес не только многочисленных посетителей, но и специалистов — художников, искусствоведов, историков, этнографов.

Музей создан решением Правительства России в 1981 году по инициативе ведущих деятелей культуры. Его возникновение как центра по собиранию, хранению, изучению и популяризации произведений художников-прикладников и народных мастеров было отнюдь не случайным. Оно явилось следствием обострившегося общественного интереса к национальным традициям — источнику духовных ценностей, основе народного мировосприятия.

В истории каждого народа бывают периоды, когда особенно актуальным становится поиск национальных корней, когда прошлое проецируется на настоящее, способствуя формированию национального самосознания. В развитии искусства это неизбежно порождает сложные процессы конфликтов и взаимодействия традиционного и новаторского, старого и современного, „своего" и привнесенного из других культур. Как во всякой борьбе что-то ценное безвозвратно теряется, что-то приобретается, и в итоге возникает некое единство, дающее право потомкам говорить о стиле эпохи.

Задолго до происходящего сегодня коренного изменения политико-экономической системы началось то духовное обновление, которое привело, в частности, и к совершенно иному, чем прежде, пониманию места национальных культур народов России в общемировой цивилизации, а соответственно — и к переосмыслению роли традиционных форм творчества. Художественные поиски и теоретические изыскания, происходившие на протяжении двух последних десятилетий, выявили специфику искусства декоративно-прикладного как явления, выражающего во вполне материальных вещах сложный внутренний мир мятущегося современника. Создание единственного в Российской Федерации музея, специализированного в области этого искусства, было, таким образом, вызвано вполне определенными сдвигами в общественном сознании и отвечало потребности в систематизации знаний и осмыслении процессов, происходящих в одной из наиболее интересной области нашей культуры.

Всероссийский музей декоративно-прикладного и народного искусства, известный также как „Музей на Делегатской", по названию улицы в Москве, на которой он расположен, занимает своеобразный комплекс зданий. Бывшая городская усадьба, принадлежавшая во второй половине 18-го века видному государственному деятелю графу И.А.Остерману, а в начале 19-го века – талантливому полководцу графу А.И.Остерману-Толстому, представляет немалый интерес как исторический и архитектурный памятник. За два с лишним столетия неоднократно менялось назначение зданий, и соответственно этому проводилась их реконструкция. Сегодня здесь ведутся большие реставрационные работы: последовательно расширяется экспозиция музея – его выставочные залы и хранилища экспонатов; неизменно растет художественное собрание.

При организации музея в основу его коллекции были положены фонды Министерства культуры России. Целый ряд ценных экспонатов передал Союз художников, а также некоторые предприятия художественной промышленности и народных промыслов. В дальнейшем на средства, выделяемые из государственного бюджета, музей приобрел немало замечательных произведений. Коллекция пополняется и за счет даров, среди которых следует отметить переданные безвозмездно Г.А.Кубряковым бесценные работы русских ювелиров прошлого и начала нынешнего столетий.

Мы не случайно открываем серию альбомов рассказом о собрании серебра рубежа двух веков. Это одна из наиболее значимых в художественном и историческом отношении часть музейного собрания. И это пока еще мало исследованный пласт нашей культуры, особенно близкий нам сейчас общностью поисков национального стиля.

Замысел составителей и издателей альбомов заключается в том, чтобы дать профессионалу-исследователю, коллекционеру, человеку, связанному с антиквариатом, серьезные научные данные для работы, а любителю искусства, массовому читателю – интересный и яркий познавательный материал.

В.А. Гуляев
*Директор Всероссийского музея
декоративно-прикладного
и народного искусства,
заслуженный деятель искусств
России*

ВСТУПИТЕЛЬНАЯ СТАТЬЯ

Русское художественное серебро второй половины 19-го — начала 20-го века — одна из интереснейших страниц отечественного декоративно-прикладного искусства.

Начиная с 1840-х годов в художественном серебре, как и во всем русском декоративно-прикладном искусстве в целом, происходит динамичный процесс создания своей национальной школы в рамках общеевропейской культуры.

Путь, на который вступила Россия во второй половине 18-го века, был окончательно оформлен реформами Петра I, затронувшими все области жизни русского общества. К середине 19-го века этот путь был в основном пройден, были освоены традиции европейской культуры в области философии, эстетики, искусства. Установка на европеизацию, которая зачастую насильственно насаждалась в петровское время, теперь в общественном сознании уже не воспринимается как что-то противоестественное для национальной культуры. Наоборот, русская культура понимается как органичная составная часть общеевропейской культуры.

Но, осознав себя европейцами, русское общество одновременно столкнулось и с необходимостью постичь истоки своей самобытности. Возникла настоятельная потребность обратиться к русской истории, осмыслить свой исторический опыт, познать логику своего исторического развития, опереться на те традиции и образное наследие, которые могли бы стать основой для развития национальной культуры, сохранив ее узнаваемость в рамках культуры европейской. „Иными словами, история русского в русском искусстве представляет собою не что иное, как историю жизни традиций древнерусского и народного искусства в европеизированном, общемировом процессе, в основном русле которого развивалось искусство России 18-го — начала 20-го веков".*

*Кириченко Е.И. Обозначение, содержание и выражение русского в русском искусстве XVIII — начала XX веков//Русское искусство первой половины XIX — начала XX веков: Сб. науч. тр. Всерос. муз. дек.-прикл. и нар. искусства. М., 1992. С. 6

Поэтому и эволюция русского художественного серебра второй половины 19-го — начала 20-го века шла во многом под знаком формирования национального стиля. Основные достижения в области формы, декора и технологии были непосредственно связаны с традициями национального русского искусства, культуры и ремесла и привели в последней трети 19-го века к оформлению „русского стиля" как самостоятельного явления в художественном серебре России, первоосновой которого послужил романтизм как форма познания и осмысления истории, в том числе и национальной.

У истоков нового понимания исторического наследия стоял Карамзин, который писал: „Говорят, что наша История сама по себе менее занимательна: не думаю; нужен только ум, вкус, талант. Можно выбрать, одушевить, раскрасить; и читатель

21

удивится, как из Нестора, Никона и проч. могло выйти нечто привлекательное, сильное, достойное внимания не только русских, но и чужестранцев... все черты, которые означают свойство народа русского, характер древних наших героев, отменных наших людей, происшествия, действительно любопытные... У нас был свой Карл Великий – Владимир; свой Людовик XI – царь Иоанн (Грозный); свой Кромвель – Годунов, и еще такой государь, которому нигде не было подобных: Петр Великий. Время их правления составляет важнейшие эпохи в нашей Истории, и даже в истории человечества...“*

*Карамзин Н.М. Письма русского путешественника. Л., 1984. С. 252-253

Эта мысль Карамзина во многом оказалась программной, определившей дальнейшие пути развития и формирования национального самосознания и впоследствии – национальной темы в литературе и искусстве. Вместе с тем Карамзин достаточно ясно проводит параллели между русской историей и историей европейской, представляя отечественную историческую традицию как часть общеевропейской.

В русском художественном серебре 19-го века это нашло выражение при формировании образного мира вещей, в основе которого лежало романтическое мировоззрение.

Романтизм, пришедший на смену классицизму, предлагал не столько конкретно увидеть, сколько вообразить историческое прошлое. Романтическое сознание отличалось способностью свободного „передвижения“, полета в прошлом и не обременяло себя строгими рамками достоверности. Интерес к истории, в том числе и к отечественной, сливался с интересом к внутреннему миру человека. Романтизм создал ту духовную среду, которая вызвала к жизни новый мир вещей, питаемый в первую очередь литературными первоисточниками, воплощавшимися в зрительные образы прикладного искусства.

Русское художественное серебро второй половины 19-го века развивалось в рамках эстетики романтизма, которая, отвергнув единую систему классицизма, создала свою концепцию, основанную на множественности исторических стилистик, на органичном использовании наследия стилей предшествующих эпох, соединении разного в едином целом, что понималось как новаторство, как важнейшее завоевание искусства, воспринималось как новый, большой стиль, стиль историзма (эклектики).

Увлечение готикой, мавританскими мотивами, „шинуазри“, ренессансом, барокко, рококо, стилем „ориенталь“ нашло свое отражение как в западноевропейском, так и в русском художественном серебре. В русле направления, которое можно определить как общеевропейское, русское художественное серебро особенно интенсивно воспроизводило формы и орнаментику барокко и рококо. В вещах, выполненных в стилистике „второго барокко“ и „второго рококо“, повторялись не только формы и декор первоисточника, но имитировались и приемы работы по серебру 18-го века: техника оброна с золочением и канфарением, гравировка с чернением, высокая чеканка, а также введение в орнаментальный узор черневых медальонов с жанровыми сценами.

Но источниками вдохновения художников и ювелиров были не только западноевропейские исторические стили, все чаще взгляд мастеров обращался к орнаментальному богатству и многокрасочности древнерусского прикладного искусства. Все это привело к формированию своего, национального варианта стиля историзма, нашедшего образное выражение в контексте „русского стиля“.

Представителями этих направлений стали два крупнейших российских центра по художественной обработке серебра — Петербург и Москва. В Петербурге придерживались больше западной ориентации. Это объяснялось тем, что там работало немало западноевропейских мастеров-серебряников и ювелиров. Петербургские серебряных дел мастера добились высокой степени чистоты исполнения и отделки вещей, хотя и не внесли принципиально новых художественно-стилевых решений. В Москве же более полное и яркое выражение получила национальная школа художественного серебра, вышедшая из недр „русского стиля“.

„Русский стиль“ явил не только совершенно новый, оригинальный образ русского художественного серебра, но и способствовал созданию целой системы его производства. Если в 18-м — первой половине 19-го века серебряное дело в России было сосредоточено в основном в руках отдельных мастеров-ювелиров или в небольших мастерских, которые, как правило, делали вещи на заказ, а сами изделия из серебра не носили массового характера, то во второй половине 19-го — начале 20-го века появление новых технологий, развитие и расширение промышленного производства, подкрепленные широким спросом российского покупателя, ориентированного в своих вкусах на вещи, созданные в „русском стиле“, способствовали возникновению и стремительному развитию отечественных ювелирных фирм.

Заметную роль в формировании русских ювелирных фирм сыграли и российские художественно-промышленные выставки, которые регулярно проводились начиная с 1829 года. Также большое значение имело участие русских фирм в международных выставках с 1851 года, что позволяло быть в курсе всех отечественных и зарубежных новаций и одновременно корректировать свою деятельность в соответствии с общественными вкусами и запросами, учитывая изменения моды.

Постоянная конкуренция, стремление привлечь различные слои общества к приобретению своих изделий стимулировали поиск новых технологических и технических приемов работы с серебром, требовали активного расширения и обновления ассортимента, не только сохранения высокого художественного уровня работ, но и доведения до совершенства чистоты отделки и техники исполнения. Это способствовало привлечению русскими ювелирными фирмами к сотрудничеству известных художников, скульпторов, архитекторов, а также созданию при фирмах своих учебных профессиональных центров. Например, на фирму Сазикова работали Быковский, Витали, Клодт; на Губкина – академик Борников; на Овчинникова – Лансере, Обер, Микешин и Чичагов; кроме того, при фирме Овчинникова была организована одна из крупнейших школ по подготовке художников и мастеров-исполнителей работ по серебру.

Подобная постановка дела позволила изготовлять не только штучные, дорогие, заказные работы, которые имели представительский характер, максимально раскрывая возможности той или иной фирмы, но и выпускать сравнительно недорогие и качественные вещи. Эти изделия помогали перевести эстетику „русского стиля“ на каждодневный, всем понятный язык бытовой функциональной вещи, что в свою очередь способствовало быстрому распространению национальных художественно-декоративных начал в русском серебре.

Впервые в истории отечественного художественного серебра ювелирные фирмы сделали его демократичным, доступным широким общественным слоям.

Уже к середине столетия помимо старейшей фирмы Сазикова возникают фирмы Губкина, Орлова, Овчинникова, фирма Никольс и Плинке; во второй половине 19-го века – фирмы Хлебникова, Фаберже, Грачева, Лорие, Курлюкова, Немирова-Колодкина, Постникова и др. Многочисленность русских ювелирных фирм обеспечивала разнообразие художественных и технических приемов украшения и обработки отечественного серебра. Совместно разрабатывая в рамках „русского стиля“ национальную тематику и декоративное убранство вещей, ювелирные фирмы формировали единый, панорамный взгляд на художественное серебро, создавали его зрительный образ, решали общие задачи декоративного оформления. Вместе с тем каждая из фирм, пользуясь широким перечнем художественных и технических приемов, имела и свои пристрастия, которые делали ее индивидуально узнаваемой среди остальных. Так, фирма Постникова специализировалась на изделиях, выполненных в технике скани; фирма Овчинникова – на изделиях с эмалью; фирма Хлебникова славилась имитациями в серебре других материалов: ткани, дерева, бересты; фирма Семенова прославилась изготовлением вещей, украшенных чернью; фирма Сазикова – серебряным литьем и мелкой скульптурной пластикой; фирма Губкина – чеканными работами по серебру; фирма Фаберже – эмалью по гильоширу. Русским ювелирным фирмам также принадлежала честь знакомства западного зрителя с национальным художественным серебром.

Если в 1840-е годы национальная тема в России наибольшее отражение находила в литературе и философии славянофильства, а в прикладном искусстве, и в частности в художественном серебре, преобладали произведения в стиле „второго барокко“ и „второго рококо“, то в пятидесятые годы 19-го века русская тематика начинает оказывать серьезное влияние на формирование нового, оригинального направления в художественном серебре.

Наиболее полно это проявилось в работах фирмы Сазикова, представленных на Всемирной выставке в Лондоне в 1851 году. Впервые на всемирной выставке были продемонстрированы произведения не на темы из западноевропейской истории, а раскрывающие не известный ранее в Западной Европе мир русской старины (например, канделябр в виде скульптурной группы „Дмитрий Донской, раненный на Куликовом поле“, скульптурная группа „Медведь-плясун с поводырем“ и ряд других работ). Именно тогда „русский стиль“ заявил о себе как о самостоятельном течении в русле историзма.

В изделиях этого направления помимо новых, самобытных сюжетов отчетливо проявляется тенденция к созданию оригинальной формы и декора, что зачастую ассоциировалось в общественном сознании с использованием или имитацией исконно русской традиции обработки и украшения серебра: применение скани (филиграни), чеканки, гравировки, зерни, различных видов перегородчатой эмали: по скани, по литью. В моду входит полихромная эмаль.

Для художественного литья по серебру в работах „русского стиля“ характерна тщательная прочеканка деталей, что позволяло рассматривать изделие более пристально, давая возможность проникнуть не только в сюжет, но и разглядеть элементы орнаментики. Ориентация на тщательное разглядывание художественного произведения была необходима для создания ассоциативных романтических образов, так как сам предмет декоративно-прикладного искусства в общественном мнении был лишен самостоятельной художественной ценности, интерес к той или иной работе зависел от идейно-сюжетного первоисточника. Роль сюжета в работах из серебра, созданных в „русском стиле", была определяющей. Часто выбор тех или иных орнаментальных мотивов, технических приемов подчинялся литературной подоснове. Высокий уровень исполнительского мастерства, тщательность и изысканность проработки произведения подчеркивали значимость выбранного сюжета или декоративного оформления изделия, как бы соотнося такие работы с лучшими творениями старых русских мастеров. Так, о работах фирмы Сазикова, представленных на Всемирной выставке в Лондоне, современники писали: „В вещах г-на Сазикова вымысел, рисунки, модели и само исполнение принадлежат уму и трудам Русских".*

*Русский художественный листок. Изд. В.Тимма. 1851, № 13//Левинсон Н.Р., Гончарова Л.Н. Русская художественная бронза. М., Советская Россия, 1958. С. 441

И хотя в пятидесятые-шестидесятые годы 19-го века изделия из серебра в „русском стиле" в основном еще создавались как штучные, выставочные или заказные раритеты и в силу своей высокой стоимости не носили массового характера, тем не менее они оказали влияние на формирование новых вкусов и художественных приоритетов. Кроме того, в этот период был намечен круг тех сюжетов и выработаны те декоративно-орнаментальные приемы украшения изделий из серебра, которые в дальнейшем, развиваясь и обогащаясь, способствовали созданию зрительного образа „русского стиля" в художественном серебре России.

Становление национального стиля в русском художественном серебре во второй половине 19-го века было процессом долгим и непростым. Окончательное его оформление как самостоятельного течения среди многочисленных стилей историзма происходит в семидесятые-восьмидесятые годы 19-го столетия под влиянием новых демократических тенденций, связанных с развитием русского общества в пореформенный период. В отечественном серебре демократическое мировоззрение эпохи выразилось в массовом воспроизведении народной тематики и национальных орнаментальных мотивов. „Русскому стилю" на этом этапе было присуще бывшее знамением времени стремление „...найти приемы, наиболее полно воплощающие ту художественную программу, тот... образ, который становится носителем определенных демократических идей, и прежде всего идеи народности в искусстве. Если народность изобразительного искусства никогда не понималась в 19-м веке как прямое заимствование форм народного творчества, если народность русской литературы никогда не сводилась к народному языку и народному сюжету, то практически именно так обстояло дело с русской архитектурой. Долгое время именно внешняя форма, народный мотив, декоративная деталь трактовались как воплощение народных начал". *

*Борисова Е.А. Русская архитектура второй половины XIX века. М., Наука, 1979. С. 226

26

Аналогичный процесс наблюдался в это время и в русском художественном серебре. Здесь можно проследить прямую зависимость в области формы и декоративного оформления от решений и трактовок, предлагаемых архитектурой.

В эти годы формирование предметного мира в художественном серебре России в рамках „русского стиля" шло под влиянием деятельности архитекторов В.А. Гартмана и И.П. Ропета, которые, пытаясь расширить рамки понятия „русский стиль", обратились в своих поисках непосредственно к народному искусству. Они заимствовали не только сюжеты и мотивы деревянного зодчества, но и широко варьировали наследие народного прикладного искусства в целом.

И хотя такой подход в решении изделий из серебра с детальным воспроизведением приемов, декора и текстуры деревянной резьбы кажется алогичным, вступающим в конфликт с материалом, следует отметить органичность подобного решения для эстетики „русского стиля". Для произведений, выдержанных в этой стилистике, имитация материала (дерева) и воспроизведение народных архитектурных форм были очень важны, так как путь прямых, узнаваемых аналогий считался необходимым условием для создания вещи в „русском стиле". Дерево, воспринимаемое как „национальный" материал, служило средством для раскрытия художественного образа. В русском серебре этого периода нарушается гармония между материалом и художественной идеей, так как последняя начинает доминировать над материалом. Имитация дерева, бересты или ткани с вышивкой в серебряных изделиях стала одной из составляющих понятия „русский стиль".

Интерес русского общества к отечественной истории способствовал воссозданию предметного и образного мира русской старины в художественном серебре России. Расширялся ассортимент, увеличивалось количество выпускаемых изделий из серебра. Уже не штучные работы, а разнообразная продукция русских ювелирных фирм удовлетворяла новые вкусовые потребности рынка. Теперь все зависело от возможностей кошелька покупателя — к его услугам были как дорогие, эксклюзивные произведения, так и большое количество сравнительно недорогих предметов в духе „русского стиля".

Мелкая пластика (скульптура малых форм) в русском художественном серебре второй половины 19-го века тоже развивалась в русле „русского стиля". Большую популярность приобрели мелкая пластика, посвященная русской охотничьей тематике: сценам соколиной охоты, псовой охоты (с борзыми и гончими), а также изображения такого символического образа России, как медведь. Но особенно популярной стала крестьянская тема в различных ее интерпретациях: появились композиции и отдельные фигурки, изображающие крестьян пашущих, крестьян отдыхающих, крестьян на празднике и т.д.

Та же народная тема была характерна и для функциональных изделий из серебра. Широкое распространение среди них получили такие предметы, как пепельницы в виде лаптей или крестьянских саней, солонки в форме деревянных солониц и берестяных плетеных туесков, подстаканники в форме деревенских рубленых изб, сухарницы и блюда, имитировавшие берестяное плетение и ткани, стопки и стаканчики в виде деревянных кадушек и т.д.

Особый интерес в эти годы вызывали изделия из серебра в сочетании с эмалью. Использование эмали, применявшейся для украшения серебряных вещей, воспринималось современниками как возрождение традиционной полихромии в русском декоративно-прикладном искусстве. Качество эмали было очень высоко, но произведения, выполненные в этой технике, в своей массе несли отпечаток некоторой сухости. Чрезмерно разработанный в деталях, дробный орнамент подавлял, скрывал форму изделия, акцентируя внимание зрителя на яркости, красочности декоративной отделки, и отвлекал его взгляд от архитектоники предмета.

Но тем не менее все это ни в коей мере не может рассматриваться как признак антихудожественности изделий из серебра этого времени. Специфика художественного видения эпохи предполагала самоценность каждого элемента произведения в отрыве от целого. Орнамент мог свободно налагаться на любую форму, и любая форма как связанная с национальной традицией, так и идущая от общеевропейских исторических стилей могла быть совмещена с произвольно выбранным орнаментом. В русском художественном серебре для узнаваемости вещи как произведения, решенного в „русском стиле", было достаточно или самой формы изделия, или его орнаментального убранства. Не стиль в прежнем понимании, но вкус диктовал образ предмета. Вкус, воспитанный на ведущих образцах демократической живописи шестидесятых-восьмидесятых годов 19-го века. Он требовал реалистичности и точности образов.

В русском художественном серебре для украшения изделий часто использовали реалистическое изображение сцен из народной жизни, а также видов Москвы, Петербурга, которые, как правило, выполнялись в виде миниатюр в технике черни. При этом внимание мастеров было сосредоточено не на органичной компановке изображения с формой и орнаментикой предмета, а на тщательном воспроизведении популярных сюжетов, через которые уже непосредственно сам предмет становился объектом внимательного и детального рассмотрения.

Итак, можно сказать, что во второй половине 19-го века „русский стиль" полностью оформляется как ведущее течение в художественном серебре России. В это время окончательно сложился круг сюжетов, связанных с народной тематикой; в скульптуре малых форм стало преобладать реалистическое направление, декор вещей воспроизводил образцы 17-го века и орнаментальные мотивы народного искусства. Широкое распространение получили формы столовой посуды допетровской Руси: братины, ендовы, чары, ковши, чарки, солоницы и т.д.; некоторые из технических приемов украшения серебра стали восприниматься как сугубо национальные – чернь, скань (филигрань), зернь, эмаль.

К началу 20-го века русская художественная культура переживала время поиска новой эстетики, что было связано с упрочением позиций стиля модерн. „Констатируя общность русского модерна со многими явлениями художественной культуры Запада рубежа двух столетий, современники обращали внимание и на его ясно выраженные национальные черты..."* Это объясняется тем, что стиль модерн в России теснее, чем в Западной Европе, был связан с общим культурным наследием второй половины 19-го века, с его последовательными поисками национального, исторического наследия в общеевропейской культуре.

*Борисова Е.А., Стернин Г.Ю. Русский модерн. М., Советский художник, 1990. С. 6

Значительное влияние на русское декоративно-прикладное искусство, и в частности на русское художественное серебро, в начале 20-го века оказали творческие поиски русскими философами и художниками новых путей развития „русского стиля".

„Русский стиль", сформировавшийся как национальное течение в русле историзма второй половины 19-го века, к началу 20-го столетия получил новое идейное содержание в рамках эстетики и мировоззрения модерна. „Национально-романтическая" традиция в прикладном искусстве страны перестает ориентироваться на воспроизведение в основном „археологизированных" образов, как бы воссоздающих подлинность и узнаваемость вещей допетровской Руси. Теперь взор художников обращается к памятникам древнерусской литературы, былинам, народным сказкам, песенному фольклору, традициям народного, крестьянского искусства, которые стали основными источниками сюжетов, внеся в произведения декоративно-прикладного искусства фольклорную направленность.

Фольклоризация „национально-романтического" стиля начала 20-го столетия изменила внутреннее содержание понятия „русский стиль" второй половины 19-го века, создав канву новой

художественно-эстетической реалии – „неорусского", или „новорусского", стиля как части культуры и эстетики модерна.

Стиль модерн в русском художественном серебре развивался в
основном в трех направлениях: интернациональный европейский
модерн; национальный вариант модерна, который ассоцииро-
вался с понятием „новорусский" стиль; а также использование
наследия историзма („необарокко", „неорококо") и наиболее
активно – стилистики „неоклассики", сочетая новые формы
модерна с орнаментикой исторических стилей.

В начале 20-го века ассортимент изделий из серебра в „новорусском" стиле в целом сохранил узнаваемость форм и декора вещей
второй половины 19-го века. Воспроизведение привычных образов было результатом ориентации на вкусы различных обще-
ственных слоев, сложившиеся в предшествующий период.

Тем не менее в русском художественном серебре начала века
отчетливо прослеживаются и новые черты. Особенно это заметно
на примере изделий из серебра с эмалевой декоративной отдел-
кой, которая в это время получила большее распространение, чем
в последней трети 19-го века. При этом значительно изменился
характер эмалевого декора. Эмаль оказалась исключительно
удобным материалом для конкретного выражения идей фоль-
клорности „новорусского" стиля при украшении вещей. Расшири-
лась палитра эмали: использовалось огромное количество цветов
и оттенков, в том числе и не известная ранее в русской эмали
широкая гамма лилового цвета, характерная для модерна.

Обращение к фольклорным источникам при решении образа
вещи как в формообразовании, так и в ее декоративной отделке
стимулировало интерес к русскому эмальерному наследию, в
частности к традиции усольских расписных эмалей. Это привело к
замене дробного и суховатого по своему рисунку, локального
эмалевого декора, выполненного, как правило, в технике эмали
по скани, пышным, сочным цветочным и травным расписным
эмалевым орнаментом, сплошь покрывавшим поверхность предмета. Нередко в этот орнамент включались персонажи русского
фольклора – птица „сирин", сказочные богатыри и т.д.

Использование обновленной традиции расписных усольских
эмалей в изделиях из серебра „новорусского" стиля позволи-
ло создать новые по своей художественной значимости, ориги-
нальные вещи. Для национального варианта модерна в серебре
стали характерны холодные эмали, которые в основном
применялись для воспроизведения в изделиях сцен и сюжетов
из былин и сказок, близких по своей стилистике живописи
Васнецова.

Появились и технические приемы, присущие только „новорусскому“ стилю, например совмещение штампа, имитирующего чеканку или литье, с холодными эмалями. Часто использовалось также сочетание полудрагоценных или поделочных камней с горячими эмалями по скани или горячими расписными эмалями. И совсем новым приемом для украшения серебра в начале века стала техника „витражных“, или, как ее еще называли, „оконных“ (прозрачных), эмалей, что придавало изделиям необычайно изысканный, как бы невесомый вид. При ярком освещении, в лучах света вещи, выполненные в этой технике, сверкали, как драгоценные камни.

Наиболее ярко черты „новорусского“ стиля проявились в работах фирм Курлюкова, Немирова-Колодкина, Хлебникова, Овчинникова. Особо следует отметить фирму Фаберже. Хотя „новорусский“ стиль и не был определяющим в деятельности этой фирмы, но он нашел отражение в создании штучных, подарочных вещей, которые принесли ей широкую известность. Кроме того, фирма Фаберже наиболее последовательно среди русских ювелирных фирм осваивала и разрабатывала принципы массового, промышленного производства изделий из серебра с применением технических и технологических новаций. Одним из „фирменных“ признаков Фаберже стали многочисленные, доступные по цене, но изысканные и блестящие по уровню технического исполнения вещи в технике эмали по гильоширу, то есть когда поверхность предмета, декорированная гравированным механическим способом (на специальном станке) орнаментом, потом покрывалась прозрачной, цветной, высочайшего технологического класса эмалью самых разнообразных оттенков. Также первым среди русских ювелирных фирм Фаберже стал широко применять в работах своей фирмы уральские поделочные и полудрагоценные камни.

Для декорировки своих изделий фирма Фаберже обратилась к стилистике „неоклассики“. В духе „неоклассики“, как правило, выполнялись декоративные орнаменты или отдельные детали вещей, которые подчеркнуто придавали им узнаваемость первоисточника, но в то же время „неоклассическая“ орнаментика сочеталась с новыми художественными и композиционными приемами стиля модерн. Тяготением к „неоклассике“ объясняется и выбор материала и техники исполнения серебряных вещей фирмой Фаберже: сочетание серебра с хрусталем и стеклом, с камнем, использование штампа для воспроизведения орнаментов в стиле классики, что должно было зрительно имитировать ручную чеканку или литье начала 19-го века.

Серебро, хрусталь, стекло, камень сами по себе уже ассоциировались с образом классических или ампирных произведений декоративно-прикладного искусства, для которых они были привычным, характерным материалом. Вместе с тем фирма Фаберже, как и другие российские ювелирные фирмы, изготовляла много вещей из серебра в стилистике европейского модерна, особенно вещей недорогих, рассчитанных на массовое, тиражное производство. В этих работах из серебра наилучшим образом можно было использовать и подчеркнуть пластичность и фактурность материала, его возможности в передаче тягучих, рафинированных форм орнаментики модерна и при этом применять самый дешевый и простой технический прием исполнения – механический штамп.

Среди русских ювелирных фирм начала 20-го века, наряду с фирмой Фаберже, в русле общеевропейских исторических стилей – „необарокко“, „неорококо“, „неоклассики“ – и модерна активно работала также петербургская фирма братьев Грачевых. И хотя в этот период практически все отечественные ювелирные фирмы отдали дань „новорусскому“ стилю, фирмы Фаберже и братьев Грачевых наиболее ярко и последовательно разрабатывали общеевропейскую художественно-стилевую традицию в русском серебре.

Многообразие стилевых, декоративных и технических приемов отделки серебра во второй половине 19-го – начале 20-го века позволяет назвать это время поистине „золотым веком“ русского художественного серебра. Эмаль расписная, живописная, „витражная“, эмаль по скани, эмаль по гильоширу в изделиях из серебра, скань в разнообразных серебряных вещах, традиционная техника черни, гравировка, оброн с канфарением, чеканка, использование поделочного и полудрагоценного отечественного камня, широчайшее варьирование и сочетание материалов, техник, обращение к художественно-стилевому наследию предшествующих эпох и современности – все это вошло в сокровищницу национальной школы художественного серебра.

Эклектичное, пышное, полихромное, рафинированное, благородное, необычное – все эти определения подходят к русскому художественному серебру второй половины 19-го – начала 20-го века. Русское художественное серебро благодаря деятельности таких российских ювелирных фирм, как фирма Сазикова, Курлюкова, Овчинникова, Фаберже, Хлебникова, Грачевых, Немирова-Колодкина, Соколова, Постникова и целого ряда других, приобрело общеевропейскую известность. Национальная школа русского художественного серебра стала крупным художественно-эстетическим явлением не только в русском, но и в западноевропейском декоративно-прикладном искусстве второй половины 19-го – начала 20-го века.

■

СПИСОК ФИРМ

INDEX OF FIRMS

Фирма Сазикова
Москва (Петербург)

Основана в 1793 году купцом Сазиковым Павлом Федоровичем, владельцем мастерской по изготовлению серебряных изделий.

В 1810 году на базе мастерской была создана фабрика по производству изделий из серебра и открыт магазин для их продажи.

До конца 1830-х годов фабрика и магазин принадлежали П.Ф.Сазикову, после его смерти дело продолжил сын, Игнатий Павлович.

С 1837 года фирма носила звание придворного поставщика и имела право ставить изображение двуглавого орла на своем клейме.

В 1842 году И.П.Сазиков открыл филиал фирмы в Петербурге.

С 1851 года фирма – участник всероссийских и всемирных художественно-промышленных выставок, имела многочисленные награды.

В 1868 году, после смерти И.П.Сазикова, дело его продолжили сыновья: в Москве – Сергей и Павел, а в Петербурге – Валентин.

Наибольшую известность фирме принесли работы в мелкой скульптурной пластике на национальную тематику.

В 1877 году закрылся Петербургский филиал.

В 1887 году фирма прекратила свою деятельность в Москве, была куплена Хлебниковым Иваном Петровичем.

Firm of Sazikov
Moscow (Petersburg)

Founded in 1793 by the merchant Pavel Sazikov, owner of a silversmith workshop.

In 1810, following the success of the workshop, a silverware factory and a shop were opened.

Until the 1830s the firm and the shop were run by Pavel Sazikov, and then, after his death, by his son Ignaty.

From 1837 the firm was given the title of Court Supplier and the right to use the Imperial Double-Headed Eagle as its trade-mark.

In 1842 Ignaty Sazikov opened another branch in Petersburg.

From 1851 the firm took part in All-Russian and world art and industrial exhibitions, and won prizes.

In 1868, after Ignaty Sazikov's death, his sons – Sergey and Pavel in Moscow, Valentin in Petersburg, took over the firm.

The firm became famous for its statuettes and figurines with national motifs.

In 1877 the Petersburg Branch closed.

In 1887 the firm ceased trading in Moscow, and was taken over by Ivan Khlebnikov.

Павел Федорович Сазиков   Pavel Sazikov   Игнатий Павлович Сазиков   Ignaty Sazikov   Павел Игнатович Сазиков   Pavel Ignatovich Sazikov

С 1837 года
клеймо под двуглавым орлом
(поставщик Двора)

From 1837 the trade-mark includes
the Imperial Double-Headed Eagle
(Court Supplier)

Перечень ювелирных фирм построен в хронологическом порядке, и все сведения о ювелирных фирмах представлены по книгам: Постникова-Лосева М.М. Русское ювелирное искусство, его центры и мастера XVI – XIX вв. М., 1974; Постникова-Лосева М.М., Платонова Н.Г., Ульянова Б.Л. Золотое и серебряное дело XV – XIX вв. М., 1983; Скурлов В., Смородинова Г. Фаберже и русские придворные ювелиры. М., Терра, 1992.

Первым указывается город, в котором работала данная фирма, а в скобках – город, в котором она имела свой филиал.

The list of jewellery firms has been given in chronological sequence and all information on jewellery firms has been taken from the following books:
Постникова-Лосева М.М. Русское ювелирное искусство, его центры и мастера XVI – XIX вв. М., 1974; Постникова-Лосева М.М., Платонова Н.Г., Ульянова Б.Л. Золотое и серебряное дело XV – XIX вв. М., 1983; Скурлов В., Смородинова Г. Фаберже и русские придворные ювелиры. М., Терра, 1992.

The name of the city in which this firm operated is provided first, and, in brackets, the location of any other branches is given.

Фирма Верховцева

Петербург

Основана в 1790 году серебряного дела мастером Верховцевым Федором Андреевичем.

В 1862 году фирма участвовала в художественно-промышленной выставке в Лондоне, в 1870 году – в Петербурге, где была награждена серебряной медалью.

В 1867 году, после смерти Ф.А.Верховцева, фирма перешла к его сыну, Сергею Федоровичу.

В 1871 фирма получила звание придворного поставщика и право ставить изображение двуглавого орла на своем клейме.

В 1881 году на фабрике работало 42 мастера. Годовой оборот составлял 113 500 рублей. Фирма специализировалась на выпуске серебряной церковной утвари.

В 1890-е годы фирма прекратила свою деятельность.

Firm of Verkhovtsev

Petersburg

Founded in 1790 by the silversmith Feodor Verkhovtsev.

In 1862 the firm put its products on display at the Art and Industrial Exhibition in London, in 1870 - in Petersburg and won the Silver Medal.

In 1867, after Verkhovtsev's death, the firm passed to his son Sergey.

In 1871 the firm was granted the title of Court Supplier and the right to use the Imperial Double-Headed Eagle as its trade-mark.

In 1881 the factory had 42 craftsmen. The firm's annual turnover amounted to 113.500 rubles. The firm specialized in the production of silver church utensils.

The firm ceased trading in the 1890s.

Федор Андреевич Верховцев   Feodor Verkhovtsev

Сергей Федорович Верховцев   Sergey Verkhovtsev

С 1871 года
клеймо под двуглавым орлом
(поставщик Двора)

From 1871 the trade-mark includes
the Imperial Double-Headed Eagle
(Court Supplier)

Фирма Губкина

Москва

Основана в 1841 году купцом и фабрикантом Губкиным Иваном Семеновичем, владельцем фабрики серебряных изделий.

С 1855 года фирма имела звание придворного поставщика и право ставить изображение двуглавого орла на своем клейме.

В 1861 году на фабрике работало 88 мастеров. Годовой оборот составлял·500 000 рублей.

С 1861 года фирма – участник всероссийских и всемирных художественно-промышленных выставок, имела награды.

До 1867 года фирма принадлежала И.С.Губкину, после его смерти дело продолжили сыновья: сначала Сергей Иванович, а затем Дмитрий Иванович.

В 1880 году фирма прекратила свое существование.

Firm of Gubkin

Moscow

Founded in 1841 by the merchant and industrialist Ivan Gubkin, a silverware factory owner.

In 1855 the firm was given the title of Court Supplier and the right to use the Imperial Double-Headed Eagle as its trade-mark.

In 1861 the factory had 88 craftsmen. The firm's annual turnover came to 500.000 rubles.

From 1861 the firm took part in All-Russian and world art and industrial exhibitions, and won prizes.

Until his death in 1867 the firm was owned by I.Gubkin, then the business passed to his son Sergey, and later to another son Dmitry.

The firm ceased trading in 1880.

Иван Семенович Губкин   Ivan Gubkin

Дмитрий Иванович Губкин   Dmitry Gubkin

С 1855 года
клеймо под двуглавым орлом
(поставщик Двора)

From 1855 the trade-mark includes
the Imperial Double-Headed Eagle
(Court Supplier)

Фирма Фаберже

Петербург (Москва, Одесса, Киев, Лондон)

Основана в 1842 году в Петербурге Густавом Фаберже.

В 1872 году, после смерти Г.Фаберже, фирма перешла к его сыну, Карлу Фаберже.

В 1882 году фирма получила золотую медаль на Всероссийской художественно-промышленной выставке в Москве, в 1885 году – золотую медаль на Нюренбергской выставке искусств.

С 1885 года фирма Карла Фаберже имела звание придворного поставщика и право ставить изображение двуглавого орла на своем клейме.

До 1887 года фирма изготовляла исключительно ювелирные изделия.

В 1887 году был открыт Московский филиал фирмы. Просуществовал до 1918 года. Специализировался на изготовлении крупных изделий из серебра, в т. ч. посуды.

В 1890 году фирма насчитывала 204 мастера. Годовой оборот составлял 164 000 рублей.

В 1900 году был открыт филиал в Одессе. В филиале работало 25 мастеров. Просуществовал до 1918 года.

С 1903 по 1915 год был открыт филиал в Лондоне.

В 1905 году был открыт филиал в Киеве. Насчитывал 10 мастеров. Просуществовал до 1911 года.

Firm of Fabergé

Petersburg (Moscow, Odessa, Kiev, London)

Founded in 1842 by Gustav Fabergé in St. Petersburg.

In 1872, after Gustav Fabergés death, his son Carl took over the firm.

In 1882 the firm was awarded the Gold Medal at the All-Russian Art and Industrial Exhibition in Moscow, in 1885 – the Gold Medal at the Art Exhibition in Nuremberg.

From 1885 the firm of Fabergé was granted the title of Court Supplier and the right to include the Imperial Double-Headed Eagle in its trade-mark.

Until 1887 the firm produced jewellery exclusively.

Until 1887 a branch opened in Moscow. This continued in existence until 1918 and specialized in the production of larger silver articles, e.g. plates, dishes, cups etc.

In 1890 the firm employed 204 craftsmen. The annual turnover amounted to 164.000 rubles.

In 1900 a branch was opened in Odessa, employing 25 craftsmen. The branch existed until 1918.

From 1903 to 1915 a branch was functioning in London.

In 1905 the Kiev Branch was set up with 10 craftsmen. It continued in existence until 1911.

С 1885 года
клеймо под двуглавым орлом
(поставщик Двора)

From 1855 the trade-mark includes
the Imperial Double-Headed Eagle
(Court Suppler)

35

Фирма Морозова
Петербург

Основана в 1849 году золотых дел мастером Морозовым Иваном Екимовичем, когда им был открыт торговый дом „И.Е.Морозов" в Гостином дворе в Петербурге, с собственной мастерской по изготовлению ювелирных изделий.

С 1884 года фирма имела звание придворного поставщика и право ставить изображение двуглавого орла на своем клейме.

До 1885 года фирмой владел И.Е.Морозов. После его смерти, в 1885 году фирма перешла к его наследникам и просуществовала до 1917 года.

Фирма исполняла много крупных заказов и считалась одной из лучших в России. Кроме ювелирных изделий она имела специальное отделение для изготовления предметов из серебра.

Firm of Morozov
Petersburg

Founded in 1849 by goldsmith Ivan Morozov who set up the trading-house "I.E.Morozov" with its own jewellery workshop at the Trading Rows in Petersburg.

From the 1884 the firm was granted the title of Court Supplier and the right to include the Imperial Double-Headed Eagle in its trade-mark.

Until 1885 Ivan Morozov owned the firm. After his death, in 1885 his descendants took over the firm which continued in existence until 1917.

The firm received many commissions and was considered one of the best in Russia. In addition to jewellery the firm had a special section that produced silverware exclusively.

С 1884 года
клеймо под двуглавым орлом
(поставщик Двора)

From 1884 the trade-mark includes
the Imperial Double-Headed Eagle
(Court Supplier)

Фирма Семенова
Москва

Основана в 1852 году Семеновым Василием С., владельцем мастерской по изготовлению серебряных изделий.

В 1873 году в мастерской работало 40 мастеров. Годовой оборот составлял 75 000 рублей.

В 1882 году на Всероссийской художественно-промышленной выставке в Петербурге изделия фирмы Семенова были удостоены золотой медали „За изящество". Фирма Семенова славилась своими серебряными изделиями, украшенными чернью. В начале 20 века, после смерти основателя фирмы дело продолжила его дочь, Мария Васильевна.

Firm of Semyonov
Moscow

Founded in 1852 by Vasily Semyonov, owner of a goldsmith workshop.

In 1873 the workshop employed 40 craftsmen. The annual turnover amounted to 75.000 rubles.

In 1882 the firm's articles won the Gold Medal "For Grace" at the All-Russian Art and Industrial Exhibition. The Semyonov firm was famous for its silverware decorated with niello.

Early in the 20th century, after the death of the firm's founder, the business was taken over by his daughter Maria Semyonova.

Фирма Овчинникова
Москва (Петербург)

Основана в 1853 году Овчинниковым Павлом Акимовичем, владельцем фабрики золотых и серебряных изделий.

На фабрике работало 90 мастеров и 50 учеников. В 1853 году годовой оборот составлял 250 000 рублей.

В 1865 году фирма получила звание придворного поставщика и право ставить изображение двуглавого орла на своем клейме.

С 1865 года фирма – участник всероссийских и всемирных художественно-промышленных выставок, имела награды.

В 1871–1875 годах при фирме была создана крупная специализированная школа по подготовке художников и мастеров-исполнителей ювелирного и серебряного дела.

В 1873 году был открыт Петербургский филиал фирмы.

В 1881 году на фабрике насчитывалось уже 170 мастеров и 130 учеников.

Первой из русских ювелирных фирм стала выпускать бытовые вещи в „русском стиле" и витражные (оконные) эмали.

После смерти основателя фирмы в 1888 году дело продолжили его сыновья – Михаил, Александр, Павел и Николай.

В 1917 году фирма прекратила свою деятельность.

Firm of Ovchinnikov
Moscow (Petersburg)

Founded in 1853 by Pavel Ovchinnikov, owner of a gold and silver factory.

The factory employed 90 craftsmen and 50 apprentices. In 1853 the firm's annual turnover came to 250.000 rubles.

In 1865 the firm was granted the title of Court Supplier and the right to include the Imperial Double-Headed Eagle in its trade-mark.

From 1865 the firm took part in All-Russian and world art and industrial exhibitions, and won prizes.

In 1871–1875 within the firm Ovchinnikov also set up a major professional school for training artists and craftsmen in jewellery and silverware.

In 1873 a branch opened in Petersburg.

In 1881 the factory had as many as 170 craftsmen and 130 apprentices.

Ovchinnikov was first Russian jewellery firm to produce everyday objects in the "Russian style" with "plique-á-jour" enamel.

In 1888, after the founder's death, his sons – Mikhail, Alexander, Pavel and Nikolay - took over the firm.

In 1917 the firm ceased trading.

Павел Акимович Овчинников   Pavel Ovchinnikov

Михаил Павлович Овчинников   Mikhail Ovchinnikov

С 1873 года   From 1873
Петербургский филиал   the Petersburg Branch

С 1865 года   From 1865 the trade-mark includes
клеймо под двуглавым орлом   the Imperial Double-Headed Eagle
(поставщик Двора)   (Court Supplier)

37

Фирма Соколова
Петербург

Основана в 1858 году Соколовым Александром Николаевичем, владельцем фабрики по изготовлению золотых, серебряных и бронзовых изделий.

На фабрике работало около 60 мастеров. Годовой оборот составлял 60000 рублей.

С 1867 года фирма – участник всероссийских и всемирных художественно-промышленных выставок, имела награды.

В 1873 году фирма получила звание придворного поставщика и право ставить изображение двуглавого орла на своем клейме.

До конца 19 века фирма прекратила свою деятельность.

Firm of Sokolov
Petersburg

Founded in 1858 by Alexander Sokolov, owner of a factory producing gold, silver and bronze articles.

The factory employed about 60 craftsmen. The factory's annual turnover amounted to 60.000 rubles.

From 1867 the firm took part in All-Russian and world art and industrial exhibitions, and won prizes.

In 1873 the firm was given the title of Court Supplier and the right to use the Imperial Double-Headed Eagle as its trade-mark.

The firm closed before the end of the 19th century.

Фирма Грачевых
Петербург

Основана в 1866 году Грачевым Гавриилом Петровичем.

До 1873 года фирмой владел Г.П.Грачев, после его смерти дело продолжили сыновья Михаил, Симон и Григорий и фирма стала называться „Братья Грачевы".

С 1888 года фирма – участник всероссийских и всемирных художественно-промышленных выставок.

В 1892 году фирма получила звание придворного поставщика и право ставить двуглавого орла на своем клейме.

В 1897 году на фабрике работало 66 мастеров. Фирма славилась производством золотых, серебряных и гальванических изделий. По своему стилевому почерку фирма тяготела к общеевропейским направлениям историзма – „необарокко", „неорококо", „неоклассицизм", позже, в начале 20 века – к модерну. А также изготовляла изделия с эмалью в „русском" и „новорусском" стиле.

В 1918 году фирма прекратила свою деятельность.

Firm of the Grachevs
Petersburg

Founded in 1866 by Gavriil Grachev.

Until 1873 the firm was owned by Gavriil Grachev; after his death the business was taken over by his sons – Mikhail, Simeon and Grigory – and the firm was renamed "The Grachev Brothers".

From 1888 the firm took part in All-Russian and world art and industrial exhibitions, and won prizes.

In 1892 the firm was granted the title of Court Supplier and the right to include the Imperial Double-Headed Eagle in its trade-mark.

In 1897 66 craftsmen were employed at the factory. The firm was famous for its production of gold, silver and galvanic articles.

Stylistically, the firm was characterized by the European historical styles of "Neo-Baroque", "Neo-Rococo", "Neo-Classicism", and by the Art Nouveau style since early in the 20th century. The firm also produced objects decorated with enamel in the "Russian" and "Neo-Russian" styles.

In 1918 the firm closed.

С 1873 года Братья Грачевы
(Михаил Гавриилович Грачев,
Симеон Гавриилович Грачев)

From 1873 the Grachev Brothers
(Mikhail Grachev,
Simeon Grachev)

Гавриил Петрович Грачев   Gavriil Grachev

С 1892 года
клеймо под двуглавым орлом
(поставщик Двора)

From 1892 the trade-mark includes
the Imperial Double-Headed Eagle
(Court Supplier)

Фирма Хлебникова
Москва (Петербург)

Основана в 1870 году в Москве Хлебниковым Иваном Петровичем, который до 1867 года работал в Петербурге.

С 1873 года фирма – участник всероссийских и всемирных художественно-промышленных выставок, имела награды.

В 1881 году, после смерти И.П.Хлебникова, основано товарищество „Хлебников И.П., сыновья и К⁰", и дело продолжили сыновья: Михаил, Алексей, Николай, Владимир.

С 1881 года фирма имела звание придворного поставщика и право ставить изображение двуглавого орла на своем клейме.

В 1882 году на фабрике работало до 200 мастеров. Годовой оборот доходил до 300 000 рублей.

Закупку сырья и сбыт изделий фирма производила как в России, так и за рубежом.

Наибольшую популярность фирма получила в московский период своей деятельности: славилась изделиями из серебра с эмалью и особенно чеканкой и литьем по серебру, имитирующими дерево, бересту, ткань.

В 1918 году фирма прекратила свое существование.

Firm of Khlebnikov
Moscow (Petersburg)

Founded in 1870 in Moscow by Ivan Khlebnikov, who until 1867 had worked in Petersburg.

From 1873 the firm took part in All-Russian and world art and industrial exhibitions, and won prizes.

In 1881, after Khlebnikov's death, "The Khlebnikov, Sons and Partner" Association was founded, and his sons Mikhail, Alexey, Nikolay and Vladimir took over the firm.

In 1881 the firm was granted the title of Court Supplier and the right to include the Imperial Double-Headed Eagle in its trade-mark.

In 1882 the factory employed about 200 craftsmen. The annual turnover came to about 300.000 rubles.

The firm purchased raw material and distributed its products both in Russia and abroad.

The firm enjoyed its greatest popularity during its Moscow period, when it became renowned for enameled silver articles. This was especially true of its silver chasing and casting which simulated wood, birch bark or fabric.

In 1918 the firm ceased to exist.

С 1881 года
клеймо под двуглавым орлом
(поставщик Двора)

From 1881 the trade-mark includes the Imperial Double-Headed Eagle (Court Supplier)

Фирма Постникова
Москва

Основана в 1868 году Постниковым Андреем Михайловичем, владельцем фабрики золотых, серебряных и бронзовых изделий.

В 1870 году на фабрике работало 63 мастера. Годовой оборот составлял 250000 рублей.

С 1870 года фирма – участник всероссийских и всемирных художественно-промышленных выставок, имела награды.

С 1877 года фирма имела звание придворного поставщика и право ставить изображение двуглавого орла на своем клейме.

Фирма изготовляла различную посуду и культовые предметы, славилась произведениями из серебра, выполненными в технике скани (филиграни).

В 1917 году фирма прекратила свое существование.

Firm of Postnikov
Moscow

Founded in 1868 by Andrey Postnikov, owner of a factory producing gold, silver and bronze articles.

In 1870 the factory employed 63 craftsmen. The annual turnover amounted to 250.000 rubles.

From 1870 the firm took part in All-Russian and world art and industrial exhibitions, and won prizes.

From 1877 the firm had the title of Court Supplier and the right to include the Imperial Double-Headed Eagle in its trade-mark.

The firm produced mainly plates and dishes as well as church objects and was famous for its filigree silverware.

In 1917 the firm ceased to exist.

Фирма Лорие
Москва

Основана в 1871 году Лорие Федором Анатольевичем, владельцем фабрики ювелирных и серебряных изделий.

В 1916 году фирма прекратила свою деятельность.

Firm of Lorié
Moscow

Founded in 1871 by Feodor Lorié, owner of a jewellery and silver factory.

In 1916 the firm closed.

Фирма Немирова-Колодкина
Москва

Основана в 1872 году Немировым-Колодкиным Николаем Васильевичем, владельцем фабрики золотых и серебряных изделий, который возглавлял фирму до 1891 года.

В 1891 году было учреждено фабрично-торговое товарищество преемников Н.В.Немирова-Колодкина.

В 1897 году на фабрике работало 39 мастеров.

В 1917 году фирма закрылась.

Firm of Nemirov-Kolodkin
Moscow

Founded in 1872 by Nikolay Nemirov-Kolodkin, owner of a factory producing gold and silver articles. Nikolay Nemirov-Kolodkin ran the firm until 1891.

In 1891 Nemirov-Kolodkin's successors established the Industrial and Trade Association.

In 1897 the factory employed 39 craftsmen.

In 1917 the firm closed.

Фирма Милюкова
Москва

Основана в 1877 году Милюковым Петром Павловичем, владельцем фабрики серебряных изделий.

В 1897 году на фабрике работало 18 мастеров и 15 подмастерьев.

Ассортимент фирмы в основном составляли чашки, подстаканники, сахарницы, солонки.

Фирма известна по письменным документам до 1917 года.

Firm of Milyukov
Moscow

Founded in 1877 by Pyotr Milyukov, owner of a silverware factory.

In 1897 the factory employed 18 craftsmen and 15 apprentices. The main products of the firm were cups, glass-holders, sugar-bowls, salt-cellars.

Surviving documents trace the history of the firm up to 1917.

Фирма Курлюкова
Москва

Основана в 1884 году Курлюковым Орестом Федоровичем, владельцем фабрики серебряных изделий.

Фирма была известна своими изделиями в „русском" и „новорусском" стиле.

В 1916 году фирма прекратила свою деятельность.

Firm of Kurlyukov
Moscow

Founded in 1884 by Orest Kurlyukov, owner of a silverware factory.

The firm was famous for its products in the "Russian" and "Neo-Russian" styles.

In 1916 the firm ceased to exist.

ЧАСТЬ ПЕРВАЯ

PART ONE

Вторая половина 19 века

Mid 19th Century

1

Стопа с крышкой
Серебро
Гравировка, чернь,
золочение, канфарение
Москва. Мастерская
Устинова Г. 1840–1850-е гг.

Covered Beaker
Silver
Engraving, niello, gilding,
pouncing
Moscow. G. Ustinov Workshop
Circa 1840–1850

В аннотациях под иллюстрациями набор данных (место изготовления, город, фирма/фабрика, мастерская,
точный год создания) указывается
только при полном наличии и сохран-
ности клейм.

В том случае, когда набор клейм
неполный или клейма повреждены,
даются данные, которые можно при-
вести на основе наличествующих
клейм.

Captions give a complete set of details –
city, firm/factory, workshop, precise year
of production (provided the trade-marks
are fully available and intact).

In cases where trade-marks are in-
complete or damaged, the details are li-
mited to information derived from available trade-marks.

2

Фрагмент рюмки   Detail of Footed Beaker
(к № 3)   (No 3)

3

Рюмка   **Footed Beaker**
Серебро   Silver
Гравировка, чернь,   Engraving, niello, gilding,
золочение, канфарение   pouncing
Москва. Мастерская   Moscow. K.V. Antriter
Антритера К.В. 1850-е гг.   Workshop. 1850s

44

4
Лоток в виде туфельки   A Shoe-shaped Tray
Серебро   Silver
Гравировка, золочение   Engraving, gilding
Россия. 1853   Russia. 1853

46

5

Рюмка　　**Footed Beaker**
Серебро　　Silver
Гравировка, чернь,　　Engraving, niello, gilding,
золочение, канфарение　　pouncing
Москва. 1840–1850-е гг.　　Moscow. Circa 1840–1850

Стопа с крышкой
Серебро
Гравировка, чернь,
золочение, канфарение
Москва. 1840–1850-е гг.

Covered Beaker
Silver
Engraving, niello, gilding,
pouncing
Moscow. Circa 1840–1850

10

Этикетка на винную бутылку
Серебро
Гравировка, скань
Россия. Вторая пол.
19-го века

A Wine Bottle Label
Silver
Engraving, filigree
Russia. Second half
of the 19th century

Портсигар женский
Серебро
Скань
Россия. Вторая пол. 19-го века

Lady's Cigarette Case
Silver
Filigree
Russia. Second half of the 19th centu

Шкатулка
Серебро, стекло
Скань, зернь
Москва. 1850-е гг.

Box
Silver, glass
Filigree, granulation
Moscow. 1850s

Вазочка Vase
Серебро Silver
Скань Filigree
Россия. 1850-е гг. Russia. 1850s

12

Вазочка **Vase**
Серебро Silver
Скань Filigree
Россия. 1840–1850-е гг. Russia. Circa 1840–1850

13

Подлампадник	Icon Lamp Holder
Серебро	Silver
Скань	Filigree
Москва. 1840–1850-е гг.	Moscow. Circa 1840–1850

14

Шкатулка в виде сундучка	**A Trunk-shaped Box**	**Шкатулка в виде домика**	**A House-shaped Box**
Серебро	Silver	Серебро	Silver
Скань, зернь	Filigree, granulation	Скань	Filigree
Москва. Мастерская	Moscow. V.I.Popov	Москва	Moscow
Попова В.И. 1840–1850-е гг.	Workshop. Circa 1840–1850	Мастерская Андреева М. 1867	M.Andreev Workshop. 1867

Шкатулка	**Box**
Серебро	Silver
Скань, зернь	Filigree, granulation
Москва. Мастерская Тихонова А.	Moscow. A.Tikhonov Workshop
1840–1850-е гг.	Circa 1840–1850

15

Шкатулка	**Box**	**Копилка в виде кружки**	**Money-Box in the Shape**
Серебро	Silver	**с крышкой**	**of a Covered Tankard**
Скань	Filigree	Серебро	Silver
Москва. Мастерская	Moscow. V.I.Ionov	Скань	Filigree
Ионова В.И. 1861	Workshop. 1861	Москва. Мастерская	Moscow. M.Andreev
		Андреева М. 1882	Workshop. 1882

16

Кошелек	**Purse**
Серебро, кожа, шелк	Silver, leather, silk
Гравировка, чернь,	Engraving, niello,
канфарение	pouncing
Россия. Вторая пол.	Russia. Second half
19-го века	of the 19th century

17

Солонка в виде берестяного
туеска (кузовка)
Серебро
Штамп, гравировка,
золочение
Москва. Фирма Матиссена
1869

Salt-Cellar in the Shape
of a Birch Bark Box
Silver
Stamp, engraving,
gilding
Moscow. Firm of Matissen
1869

18

Скульптура „Тройка"
Серебро
Литье, чеканка,
гравировка
Москва. Фирма Сазикова
1865

Statuette „Troika"
Silver
Casting, chasing,
engraving
Moscow. Firm of Sazikov
1865

19

Портсигар	**Cigarette Case**
Серебро	Silver
Плетение	Weaving
Москва. Мастерская	Moscow. A.F.Golovin
Головина А.Ф. 1864	Workshop. 1864

20

Предметы из письменного прибора: подсвечники и чернильница	Desk-Set Pieces: Candlesticks and Inkstand
Серебро	Silver
Гравировка	Engraving
Петербургский филиал	Petersburg Branch
Фирма Сазикова	Firm of Sazikov
1870-е гг.	1870s

Ларец „Теремок"   **Casket „Teremok"**
Серебро, эмаль   Silver, enamel
Скань, эмаль, канфарение   Filigree, enamel, pouncing
Москва. Фирма   Moscow. Firm
Овчинникова. 1878   of Ovchinnikov. 1878

22

Ложка столовая	**Tablespoon**
Серебро, эмаль	Silver, enamel
Литье, гравировка, эмаль, золочение	Casting, engraving, enamel, gilding
Москва. Фирма Хлебникова. 1875	Moscow. Firm of Khlebnikov. 1875

23

Фрагмент ложки столовой	**Detail of Tablespoon**
(к № 22)	(No 22)

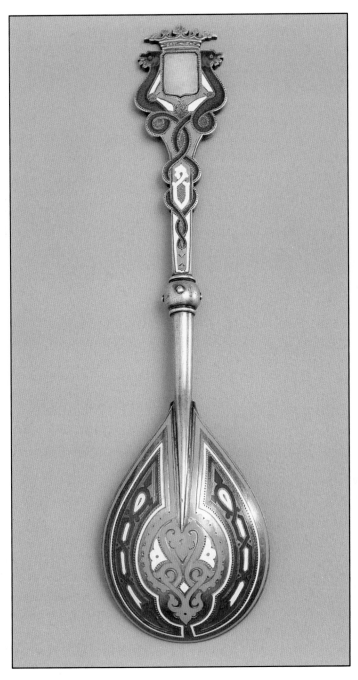

24

Подстаканники	Glass-Holders
Серебро	Silver
Гравировка, золочение	Engraving, gilding
Петербург. 1880	Petersburg. 1880
Москва. Мастерская	Moscow. V.E.Baladanov
Баладанова В.Е. 1878	Workshop. 1878

25

Самовар	Samovar
Серебро, кость	Silver, bone
Литье, выколотка, чеканка,	Casting, repoussé, chasing,
золочение	gilding
Петербург. Мастерская	Petersburg. N.Nikitin
Никитина Н. 1870	Workshop. 1870

Чайница   **Tea-Box**
Серебро   Silver
Литье, штамп, чеканка,   Casting, stamp, chasing,
гравировка, золочение   engraving, gilding
Москва. Фабрика   Moscow. Firm of Kuzmichev
Кузмичева. 1880   1880

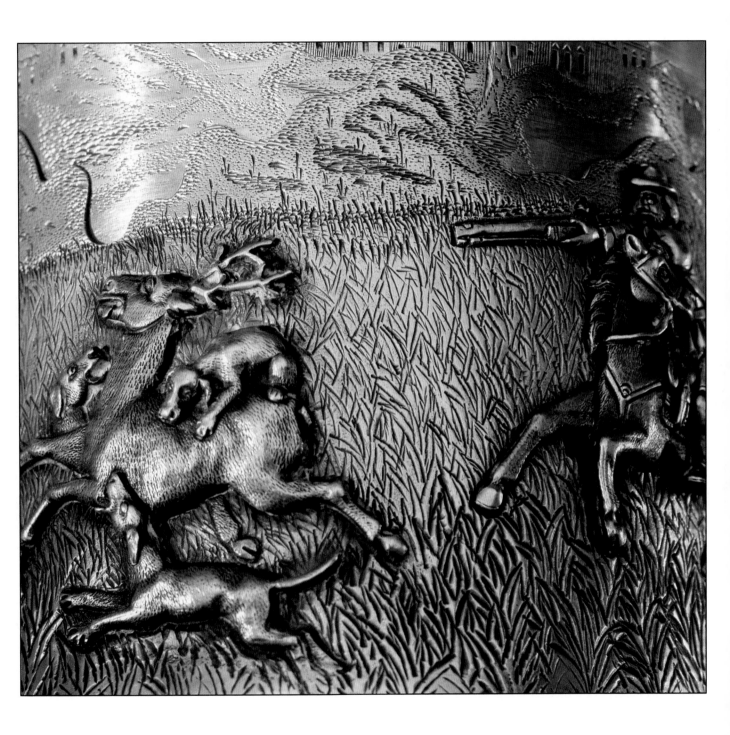

29

Подстаканник	Glass-Holder
Серебро	Silver
Литье, просечка, штамп,	Casting, open-work, stamp,
гравировка, золочение	engraving, gilding
Москва. Фирма	Moscow. Firm
Милюкова. 1870-е гг.	of Milyukov. 1870s

Сухарница | Cake Basket
Серебро | Silver
Плетение, штамп, чеканка, | Weaving, stamp, chasing,
гравировка, золочение | engraving, gilding
Москва. Фирма | Moscow. Firm
Милюкова. 1879 | of Milyukov. 1879

31

Подстаканник   **Glass-Holder**
Серебро   Silver
Литье, штамп   Casting, stamp
Москва. Фирма   Moscow. Firm
Сазикова. 1880-е гг.   of Sazikov. 1880s

Подстаканник   Glass-Holder
Серебро, эмаль   Silver, enamel
Литье, штамп, гравировка,   Casting, stamp, engraving,
эмаль, золочение   enamel, gilding
Москва. 1885   Moscow. 1885

33

Фрагмент подстаканника   Detail of Glass-Holder
(к № 32)   (No 32)

34

Ликерный прибор   **Liqueur Set**
Серебро, стекло   Silver, glass
Штамп, чеканка, гравировка   Stamp, chasing, engraving
Петербург. 1882   Petersburg. 1882

35

Подстаканник со стаканом	Glass-Holder with a Glass
Серебро, стекло	Silver, glass
Литье, штамп, гравировка,	Casting, stamp, engraving,
золочение	gilding
Петербург. 1882	Petersburg. 1882

36

Портсигар	**Cigarette Case**
Серебро	Silver
Гравировка, чернь	Engraving, niello
Москва. Фабрика	Moscow. Firm
Клингерта. 1880	of Klingert. 1880

37
Фрагмент портсигара
(к № 36)

Detail of Cigarette Case
(No 36)

38
Фрагмент портсигара
(к № 36)

Detail of Cigarette Case
(No 36)

Портсигар женский
Серебро, эмаль
Гравировка, эмаль,
золочение
Москва
Фирма Хлебникова
1882

Lady's Cigarette Case
Silver, enamel
Engraving, enamel,
gilding
Moscow
Firm of Khlebnikov
1882

40

Портсигар	Cigarette Case
Серебро, эмаль	Silver, enamel
Гравировка, эмаль,	Engraving, enamel,
золочение	gilding
Петербургский филиал	Petersburg Branch
Фирма Сазикова. 1870-е гг.	Firm of Sazikov. 1870s

Вазочка для конфет	**Vase for Sweets**
Серебро	Silver
Гравировка, оброн, золочение	Engraving, embossed work „obron", gilding
Москва. Фабрика Фульда	Moscow. Firm of Fuld
1884	1884

42

Фрагмент вазочки для конфет   Detail of Vase for Sweets
(к № 41)   (No 41)

43

Портсигар
Серебро, эмаль
Живопись, эмаль,
золочение
Москва. Фирма
Хлебникова. 1889

Cigarette Case
Silver, enamel
Painting, enamel,
gilding
Moscow. Firm
of Khlebnikov. 1889

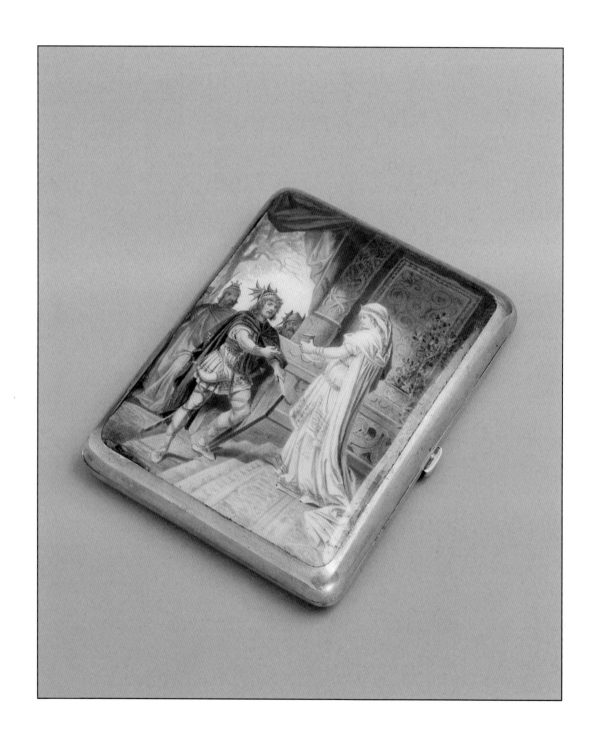

82

44

Сухарница	Cake Basket
Серебро	Silver
Гравировка, чернь,	Engraving, niello,
золочение, канфарение	gilding, pouncing
Москва. Фирма	Moscow. Firm
Овчинникова. 1887	of Ovchinnikov. 1887

46

Предметы из чайного сервиза:
совочек для сахара,
сливочник, полоскательница
для чашек, сахарница,
чайник для заварки,
чайник для кипятка
Серебро
Гравировка, чернь,
золочение, канфарение
Москва
Фирма Овчинникова. 1887

Tea-Set Pieces:
Sugar Shovel,
Creamer,
Bowl, Sugar Bowl,
Tea-Pot,
Hot Water Pot
Silver
Engraving, niello,
gilding, pouncing
Moscow
Firm of Ovchinnikov. 1887

48

Фрагмент чайника   Detail of Tea-Pot
из чайного сервиза (к № 47)   (No 47)

87

Молочник
Серебро
Гравировка, чернь,
канфарение
Москва. Фирма
Семенова. 1889

Milk Jug
Silver
Engraving, niello,
pouncing
Moscow. Firm
of Semyonov. 1889

50

Стопа	**Beaker**
Серебро	Silver
Гравировка, золочение	Engraving, gilding
Москва. Мастерская	Moscow. I.F.Andreev
Андреева И.Ф. 1883	Workshop. 1883

51

Солонка	Salt-Cellar
Серебро, эмаль	Silver, enamel
Гравировка, эмаль, золочение	Engraving, enamel, gilding
Москва. 1880-е гг.	Moscow. 1880s

53

Молочник	**Milk Jug**
Серебро	Silver
Литье, чеканка	Casting, chasing
Москва	Moscow
Фирма Овчинникова	Firm of Ovchinnikov
1889	1889

Фрагмент молочника (к № 53)   Detail of Milk Jug (No 53)

55

Солонка	**Salt-Cellar**
Серебро	Silver
Гравировка, просечка	Engraving, open-work
Москва	Moscow
Мастерская Голощапова М.	M.Goloschapov Workshop
1893	1893

57

Молочник | Milk Jug
Серебро, эмаль | Silver, enamel
Скань, эмаль, канфарение | Filigree, enamel, pouncing
Москва. 1880-е гг. | Moscow. 1880s

58

Сухарница	**Cake Basket**
Серебро, эмаль	Silver, enamel
Штамп, чеканка, скань,	Stamp, chasing, filigree,
эмаль, золочение	enamel, gilding
Петербургский филиал	Petersburg Branch
Фирма Овчинникова	Firm of Ovchinnikov
1880–1890-е гг.	Circa 1880–1890

59

Шкатулка   Box
Серебро, эмаль   Silver, enamel
Гравировка, эмаль   Engraving, enamel
Москва. 1890   Moscow. 1890

60

Ваза	Vase
Серебро, эмаль	Silver, enamel
Штамп, скань, эмаль, канфарение	Stamp, filigree, enamel, pouncing
Петербург. Мастерская Каторского И.И.	Petersburg I.I.Katorsky Workshop
1880–1890-е гг.	Circa 1880–1890

61

Ручка и нож
для разрезания бумаг
Серебро, эмаль
Скань, эмаль, золочение
Петербург. Фабрика
Дальмана. 1880–1890-е гг.

Pen and
Paper-Knife
Silver, enamel
Filigree, enamel, gilding
Petersburg. Firm of Dalman
Circa 1880–1890

ЧАСТЬ ВТОРАЯ

Конец 19 – начало 20 века

PART TWO

End of the 19th Century –

Beginning of the 20th

Century

62

Ваза для фруктов
Серебро, хрусталь
Литье, штамп
Петербург
Фирма „Братья Грачевы“
1895

Fruit Vase
Silver, rock crystal
Casting, stamp
Petersburg
Grachev Brothers
1895

Молочник	Milk Jug
Серебро	Silver
Гравировка, золочение,	Engraving, gilding,
канфарение	pouncing
Москва. 1893	Moscow. 1893

Предметы из письменного
прибора: шкатулка,
ручка, печатка, чернильница,
пресс-папье
Серебро, оникс, перламутр
Литье, гравировка, золочение
Петербургский филиал
Фирма Овчинникова. 1896

Desk-Set Pieces:
Box, Pen,
Signet, Inkstand,
Paper-Weight
Silver, onyx, pearl
Casting, engraving, gilding
Petersburg Branch
Firm of Ovchinnikov. 1896

66

Письменный прибор в футляре:
футляр, блокнот,
пресс-папье, шкатулка,
чернильница, нож
для разрезания бумаг,
ручка, печатка

Desk-Set in Fitted Case:
Case, Notebook,
Paper-Weight, Box,
Inkstand,
Paper-Knife,
Pen, Signet

67

Фрагмент пресс-папье
(к № 65)

Detail of Paper-Weight
(No 65)

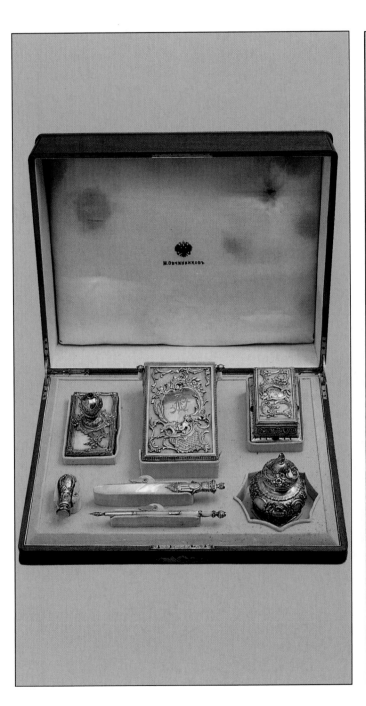

Ложка для компота · Compote Spoon
Ложка для салата · Salad Spoon
Серебро, фарфор · Silver. porcelain
Гравировка, роспись, · Engraving, painting,
золочение · gilding
Московский филиал · Moscow Branch
Фирма Фаберже. 1892 · Firm of Fabergé. 1892

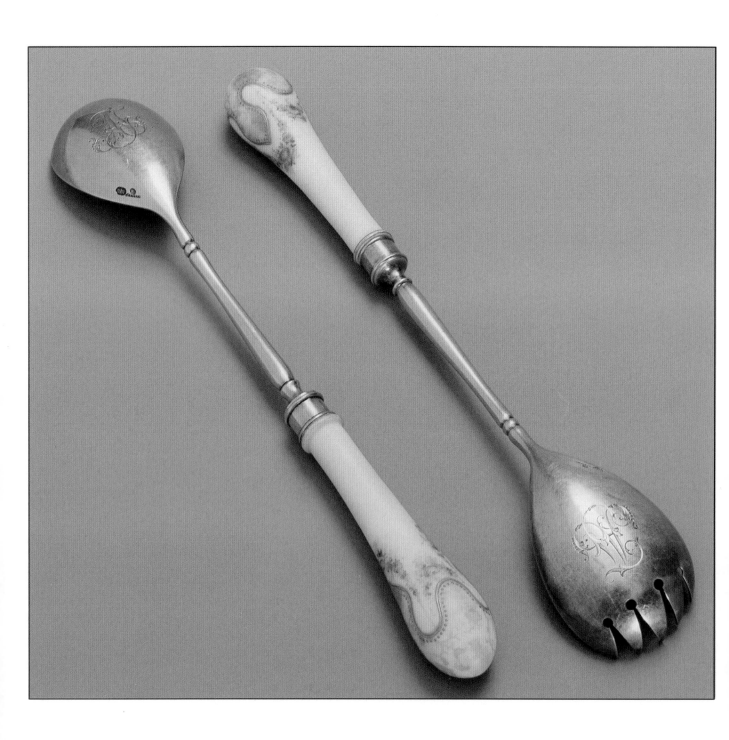

69

Чашка чайная с блюдцем
и чайной ложкой
Серебро
Лак, роспись, золочение
Петербург. 1899–1903-е гг.

Tea-Cup with Saucer
and Tea-Spoon
Silver
Lacquer painting, gilding
Petersburg. Circa 1899–1903

109

70

Ложка для компота
Серебро
Гравировка, чернь,
золочение, канфарение
Москва. Мастерская
Ярцева Ф.К. 1890-е гг.

Compote Spoon
Silver
Engraving, niello,
gilding, pouncing
Moscow. F.K.Jartsev
Workshop. 1890s

71

Фрагмент ложки для компота
(к № 70)

Detail of Compote Spoon
(No 70)

72

Подставка для ножей
Серебро
Штамп, литье
Москва. Фирма
Курлюкова. 1890-е гг.

Knife-Holder
Silver
Stamp, casting
Moscow. Firm
of Kurlyukov. 1890s

73

Подстаканник
Серебро, эмаль
Скань, эмаль
Москва. Фирма
Немирова-Колодкина. 1890-е гг.

Glass-Holder
Silver, enamel
Filigree, enamel
Moscow. Firm
of Nemirov-Kolodkin. 1890s

Стопка
Серебро, эмаль
Скань, эмаль, золочение
канфарение
Россия. 1899–1908-е гг.

Beaker
Silver, enamel
Filigree, enamel, gilding,
pouncing
Russia. Circa 1899–1908

Подстаканник

Серебро, эмаль
Литье, скань, эмаль,
золочение, канфарение
Москва. Фирма
Овчинникова. 1894

Glass-Holder

Silver, enamel
Casting, filigree, enamel,
gilding, pouncing
Moscow. Firm
of Ovchinnikov. 1894

75

Кольца салфеточные
Серебро, эмаль
Скань, эмаль, роспись,
золочение, канфарение
Москва. 1880–1900-е гг.

Napkin Rings
Silver, enamel
Filigree, enamel, painting,
gilding, pouncing
Moscow. Circa 1880–1900

Ложки десертные
Серебро, эмаль
Скань, эмаль, золочение
Москва. 1899

Dessert Spoons
Silver, enamel
Filigree, enamel, gilding
Moscow. 1899

Подстаканник
Серебро, эмаль
Литье, скань, эмаль,
роспись, золочение
Москва. Фирма
Салтыкова. 1894

Glass-Holder
Silver, enamel
Casting, filigree, enamel,
painting, gilding
Moscow. Firm
of Saltykov. 1894

77

Солонка
Серебро, эмаль
Скань, эмаль, золочение
Москва. 1899–1908-е гг.

Salt-Cellar
Silver, enamel
Filigree, enamel, gilding
Moscow. Circa 1899–1908

Солонка
Серебро, эмаль
Скань, эмаль
Москва. Фирма
Немирова-Колодкина. 1895

Salt-Cellar
Silver, enamel
Filigree, enamel
Moscow. Firm
of Nemirov-Kolodkin. 1895

116

78

Солонка	Salt-Cellar
Серебро, эмаль	Silver, enamel
Скань, эмаль, золочение	Filigree, enamel, gilding
Москва. 1890-е гг.	Moscow. 1890s

Солонка	Salt-Cellar
Серебро, эмаль	Silver, enamel
Скань, эмаль, роспись	Filigree, enamel, painting
Москва. Фирма	Moscow. Firm
Хлебникова. 1880	of Khlebnikov. 1880

Чарка	Beaker („Charka")
Серебро, эмаль	Silver, enamel
Скань, эмаль, золочение	Filigree, enamel, gilding
Москва	Moscow
Фирма Курлюкова	Firm of Kurlyukov
1880-е гг.	1880s

79

Яйца пасхальные
Серебро, эмаль
Скань, эмаль, роспись,
золочение, канфарение
Москва. Фабрика
Агафонова (малое); фабрика
Алексеева (большое)
1890–1900-е гг.

Easter Eggs
Silver, enamel
Filigree, enamel, painting,
gilding, pouncing
Moscow.
Firm of Agafonov (small egg);
Firm of Alekseev (big egg)
Circa 1890–1900

80

Икона „Иверская Богоматерь"
в окладе
Серебро, эмаль
Штамп, чеканка, скань,
эмаль, золочение, темпера
Москва. 1880–1890-е гг.

Icon of the Iverskaya Mother
of God in Frame
Silver, enamel
Stamp, chasing, filigree,
enamel, gilding, tempera
Moscow. Circa 1880–1890

Ложки для компота
Серебро, эмаль
Скань, эмаль, золочение
Москва. 1890–1900-е гг.

Compote Spoons
Silver, enamel
Filigree, enamel, gilding
Moscow. Circa 1890–1900

82

Ложки десертные
Серебро, эмаль
Скань, эмаль, роспись,
золочение
Москва. 1900-е гг.

Dessert Spoons
Silver, enamel
Filigree, enamel, painting,
gilding
Moscow. 1900s

Чашка
Серебро, эмаль
Скань, эмаль, золочение
Москва. 1900-е гг.

Cup
Silver, enamel
Filigree, enamel, gilding
Moscow. 1900s

Пояс женский   Lady's Belt
Серебро, эмаль   Silver, enamel
Скань, эмаль   Filigree, enamel
Москва. Мастерская   Moscow. E.T.Samoshin
Самошина Е.Т. 1900-е гг.   Workshop. 1900s

84

Пояс женский
Серебро
Гравировка, чернь
Петербург. Мастерская
Ходжаева. 1900-е гг.

Lady's Belt
Silver
Engraving, niello
Petersburg. Khodzhaev
Workshop. 1900s

85

Ложка для компота
Серебро, эмаль
Скань, эмаль, роспись,
золочение
11-я Московская
артель. 1908–1917-е гг.

Compote Spoon
Silver, enamel
Filigree, enamel, painting ,
gilding
11th Moscow Artel
Circa 1908–1917

86

Фрагмент ложки для компота
(к № 85)

Detail of Compote Spoon
(No 85)

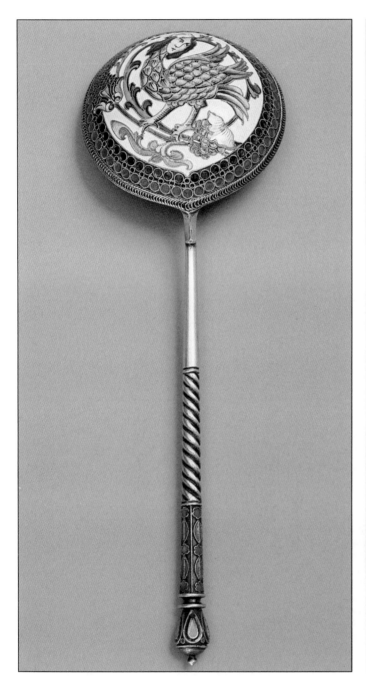

Пудреницы | Powder Cases
Серебро, эмаль | Silver, enamel
Скань, эмаль, роспись, | Filigree, enamel, painting,
золочение | gilding
Москва, Мастерская | Moscow, G.M.Sbitnev
Сбитнева Г.М. 1908 | Workshop, 1908
11-я Московская артель | 11th Moscow Artel
1908–1917-е гг. | Circa 1908–1917
Петербург, 1908–1917-е гг. | Petersburg, Circa 1908–1917

88

Чарка	Beaker („Charka")
Серебро, эмаль	Silver. enamel
Скань, эмаль, золочение,	Filigree, enamel, gilding,
канфарение	pouncing
Москва. 1900–1908-е гг.	Moscow. Circa 1900–1908

126

Чарка в виде ковшика
Серебро, эмаль
Скань, эмаль, роспись,
золочение
Москва. 1900–1908-е гг.

Scoop-shaped Beaker („Charka")
Silver, enamel
Filigree, enamel, painting,
gilding
Moscow. Circa 1900–1908

Чарка в виде ковшика
Серебро, эмаль
Скань, эмаль, роспись,
золочение
Москва. Мастерская
Соколовой М.И. 1909

Scoop-shaped Beaker („Charka")
Silver, enamel
Filigree, enamel, painting,
gilding
Moscow. M.I.Sokolova
Workshop. 1909

Сливочник
Серебро, эмаль
Скань, эмаль, роспись,
золочение
Москва. 1908–1917-е гг.

Creamer
Silver, enamel
Filigree, enamel, painting,
gilding
Moscow. Circa 1908–1917

90

Портсигар   **Cigarette Case**
Серебро, эмаль   Silver. enamel
Скань, эмаль, золочение,   Filigree, enamel, gilding,
канфарение   pouncing
Москва. 1908–1917-е гг.   Moscow. Circa 1908–1917

91

Фрагмент портсигара   Detail of Cigarette Case
(к № 90)   (No 90)

Ковш-братина (для пива)   Scoop (Loving Cup) for Beer
Серебро, эмаль   Silver, enamel
Скань, зернь, эмаль,   Filigree, granulation,
роспись, золочение   enamel, painting, gilding
11-я Московская артель   11th Moscow Artel
1908–1917-е гг.   Circa 1908–1917

93

Фрагмент ковша-братины   Detail of Scoop (Loving Cup)
(к № 92)   for Beer (No 92)

94

Фрагмент вазы (к № 95)   Detail of Vase (No 95)

95

Ваза   **Vase**

Серебро, эмаль,   Silver, enamel,
полудрагоценные камни   semi-precious stones
Скань, эмаль, роспись,   Filigree, enamel,
золочение   painting, gilding
Москва. Фирма   Moscow. Firm of Ovchinnikov
Овчинникова. 1900–1908-е гг.   Circa 1900–1908

96

Подстаканник	Glass-Holder
Серебро, эмаль,	Silver, enamel
Просечка, эмаль, золочение	Open-work, enamel, gilding
Россия. 1900-е гг.	Russia. 1900s

97

Сумочка дамская
Серебро, эмаль
Кольчужное плетение.
скань, эмаль, роспись
Москва. 1908–1917-е гг.

Lady's Bag
Silver, enamel
Ring-weaving. filigree.
enamel, painting
Moscow. Circa 1908–1917

98

Пудреница	Powder Box
Серебро, эмаль	Silver, enamel
Гильошир, золочение	"Guilloché", gilding
Петербург. Фирма Фаберже	Petersburg. Firm of Fabergé
1908—1917-е гг.	Circa 1908—1917

Стопка	Beaker
Серебро. эмаль	Silver, enamel
Гильошир, эмаль, золочение	"Guilloché", enamel, gilding
Петербург. Фирма	Petersburg
„Братья Грачевы". 1900—1903-е гг.	Grachev Brothers. Circa 1900—1903

99

Чарка в виде бочонка	Barrel-shaped Beaker ("Charka")
Серебро	Silver
Гравировка	Engraving
Петербург. Мастерская	Petersburg. A.K.Karpov
Карпова А.К. 1900-е гг.	Workshop. 1900s

Чарка в виде кружки	Tankard-shaped "Charka"
Серебро	Silver
Гравировка, золочение	Engraving, gilding
Москва. Фабрика	Moscow. Firm
Абросимова. 1900-е гг.	of Abrosimov. 1900s

Чарка в виде кружки
Серебро
Гравировка, золочение
Костромская губерния
Мастер Манилов И.З.
1908–1917-е гг.

Tankard-shaped "Charka"
Silver
Engraving, gilding
Kostroma Province
Workmaster I.Z.Manilov
Circa 1908–1917

Подстаканник в виде бочонка
Серебро
Гравировка
Москва. 1900–1908-е гг.

Barrel-shaped Glass-Holder
Silver
Engraving
Moscow. Circa 1900–1908

Подстаканник
Серебро
Гравировка
Петербург
1900–1908-е гг.

Glass-Holder
Silver
Engraving
Petersburg
Circa 1900–1908

100

Кольца салфеточные	Napkin Rings
Серебро, холодная эмаль	Silver, lacquer enamel
Штамп, гравировка,	Stamp, engraving,
холодная эмаль, роспись,	lacquer enamel,
золочение	painting, gilding
Москва. 1908–1917-е гг.	Moscow. Circa 1908–1917

138

102

Подстаканник для кофейной чашки	Glass-Holder for a Coffee Cup		Сливочник	Creamer
Серебро	Silver		Серебро	Silver
Штамп, просечка	Stamp, open-work		Литье, золочение	Casting, gilding
Москва. Фабрика Агафонова	Moscow. Firm of Agafonov		Москва. Фирма Овчинникова. 1900-е гг.	Moscow. Firm of Ovchinnikov. 1900s
1900-е гг.	1900s			

		Молочник	Milk Jug
		Серебро	Silver
		Штамп, гравировка, золочение	Stamp, engraving, gilding
		Россия. 1900-е гг.	Russia. 1900s

103

Предметы из чайного сервиза:
чайник, молочник
Серебро
Штамп, золочение
Петербург. Фирма
„Братья Грачевы"
1908–1917-е гг.

Tea-Set Pieces:
Tea-Pot, Milk Jug
Silver
Stamp, gilding
Petersburg
Grachev Brothers
Circa 1908–1917

104

Кувшин	**Jug**
Серебро, хрусталь	Silver, crystal
Штамп	Stamp
Петербург	Petersburg
Мастерская Аллениуса И.И.	I.I.Allenius Workshop
1900-е гг.	1900s

105

Ваза для фруктов	**Fruit Vase**
Серебро, хрусталь	Silver, crystal
Литье, штамп, чеканка	Casting, stamp, chasing
Московский филиал	Moscow Branch
Фирма Фаберже. После 1908	Firm of Fabergé. After 1908

143

106

Фрагмент крюшонницы   Detail of Cocktail Bowl
(к № 107)   (No 107)

107

Крюшонница   Cocktail Bowl
с разливательной ложкой   and Ladle
Серебро, хрусталь   Silver, crystal
Штамп, гравировка   Stamp, engraving
Россия. Начало 20-го века   Russia. Early 20th century

108

Ваза для фруктов	**Fruit Vase**
Серебро, хрусталь	Silver, crystal
Литье, штамп	Casting, stamp
Московский филиал	Moscow Branch
Фирма Фаберже	Firm of Fabergé
После 1908	After 1908

109

Фрагмент вазы для фруктов   Detail of Fruit Vase
(к № 108)   (No 108)

110
Фрагмент вазы (к № 111)   **Detail of Vase** (No 111)

111
Ваза   **Vase**
Серебро, хрусталь   Silver, crystal
Штамп   Stamp
Москва. Фирма Лорие   Moscow. Firm of Lorié
1912   1912

112

Лампа электрическая настольная
Серебро, родонит (орлец)
Литье, штамп
Петербург. Фирма Фаберже
1910-е гг.

Electric Desk Lamp
Silver, rhodonite ("orlets")
Casting, stamp
Petersburg. Firm of Fabergé
1910s

113

Шкатулка
Серебро, яшма
Штамп. золочение
Петербург. Фирма Фаберже
1910-е гг.

Box
Silver, jasper
Stamp. gilding
Petersburg. Firm of Fabergé
1910s

151

114

Портсигар
с изображением воина
Серебро
Штамп, золочение (внутри)
Москва. После 1908

Cigarette Case
with a Depiction of a Warrior
Silver
Stamp, gilding (inside)
Moscow. After 1908

Портсигар со сценой
„Крестьянин на пашне"
Серебро
Штамп, золочение (внутри)
Москва. Мастерская
Скворцова К.И. После 1908

Cigarette Case with
"Peasant Ploughing" Scene
Silver
Stamp, gilding (inside)
Moscow. K.I.Skvortsov
Workshop. After 1908

115

Фрагмент подстаканника	**Detail of Glass-Holder**
Серебро	Silver
Штамп	Stamp
Москва. Фабрика	Moscow. Firm of Abrosimov
Абросимова. 1900–1908-е гг.	Circa 1900–1908

153

Складень
Серебро, стекло
перламутр, аметисты
Литье, скань, золочение
Москва. Фирма
Хлебникова. После 1908

Folding Icon
Silver, glass, pearl,
amethyst
Casting, filigree, gilding
Moscow. Firm
of Khlebnikov. After 1908

117

Фрагмент складня   Detail of Folding Icon
(к № 116)   (No 116)

119

Ларец | Casket
Серебро, сердолики | Silver, cornelian
Чеканка, золочение | Chasing, gilding
Москва. После 1908 | Moscow. After 1908

Шкатулка **Box**
Серебро, эмаль, дерево Silver, enamel, wood
Скань, эмаль Filigree, enamel
Россия. Начало 20-го в. Russia. Early 20th century

121

Подлампадник
Серебро, эмаль
Скань, эмаль, роспись,
золочение, канфарение
Москва. 1900–1908-е гг.

Icon Lamp Holder
Silver, enamel
Filigree, enamel, painting,
gilding, pouncing
Moscow. Circa 1900–1908

122

Фрагмент подлампадника　　Detail of Icon Lamp Holder
(к № 121)　　　　　　　　(No 121)

ПРИЛОЖЕНИЕ

ADDENDA

Список иллюстраций

List of Plates

1

Стопа с крышкой	Covered Beaker
Серебро	Silver
Гравировка, чернь, золочение, канфарение	Engraving, niello, gilding, pouncing
Москва. Мастерская Устинова Г. 1840–1850-е гг.	Moscow. G. Ustinov Workshop Circa 1840–1850
16,7 х 8,4 х 8,4	

2

Фрагмент рюмки	Detail of Footed Beaker
(к № 3)	(No 3)

3

Рюмка	Footed Beaker
Серебро	Silver
Гравировка, чернь, золочение, канфарение	Engraving, niello, gilding, pouncing
Москва. Мастерская Антритера К.В. 1850-е гг.	Moscow. K.V. Antriter Workshop. 1850s
18,5 х 6,3 х 6,3	

4

Лоток в виде туфельки	A Shoe-shaped tray
Серебро	Silver
Гравировка, золочение	Engraving, gilding
Россия. 1853	Russia. 1853
5,0 х 15,0 х 3,6	

5

Рюмка	Footed Beaker
Серебро	Silver
Гравировка, чернь, золочение, канфарение	Engraving, niello, gilding, pouncing
Москва. 1840–1850-е гг.	Moscow. Circa 1840–1850
10,3 х 6,4 х 6,4	

6

Фрагмент рюмки	Detail of Footed Beaker
(к № 8)	(No 8)

7

Фрагмент рюмки	Detail of Footed Beaker
(к № 8)	(No 8)

8

Рюмки	Footed Beakers
Серебро	Silver
Гравировка, чернь, золочение, канфарение	Engraving, niello, gilding, pouncing
Москва. 1850-е гг.	Moscow. 1850s
9,4 х 4,4 х 4,4	

9

Стопа с крышкой	Covered Beaker
Серебро	Silver
Гравировка, чернь, золочение, канфарение	Engraving, niello, gilding, pouncing
Москва. 1840–1850-е гг.	Moscow. Circa 1840–1850
13,0 х 8,0 х 8,0	

10

Этикетка на винную бутылку	A Wine Bottle Label
Серебро	Silver
Гравировка, скань	Engraving, filigree
Россия. Вторая пол. 19-го века	Russia. Second half of the 19th century
5,8 х 6,0 х 0,8	

Портсигар женский	Lady's Cigarette Case
Серебро	Silver
Скань	Filigree
Россия. Вторая пол. 19-го века	Russia. Second half of the 19th century
1,2 х 8,0 х 6,5	

Шкатулка	Box
Серебро, стекло	Silver, glass
Скань, зернь	Filigree, granulation
Москва. 1850-е гг.	Moscow. 1850s
6,0 х 8,5 х 5,7	

11

Вазочка	Vase
Серебро	Silver
Скань	Filigree
Россия. 1850-е гг.	Russia. 1850s
10,0 х 12,4 х 12,4	

12

Вазочка	Vase
Серебро	Silver
Скань	Filigree
Россия. 1840–1850-е гг.	Russia. Circa 1840–1850
10,0 х 11,0 х 10,0	

13

Подлампадник	Icon Lamp Holder
Серебро	Silver
Скань	Filigree
Москва. 1840–1850-е гг.	Moscow. Circa 1840–1850
8,0 х 8,8 х 8,8	

14

Шкатулка в виде сундучка	A Trunk-shaped Box
Серебро	Silver
Скань, зернь	Filigree, granulation
Москва. Мастерская Попова В.И. 1840–1850-е гг.	Moscow. V.I.Popov Workshop. Circa 1840–1850
4,8 х 5,0 х 4,0	

Шкатулка в виде домика	A House-shaped Box
Серебро	Silver
Скань	Filigree
Москва	Moscow
Мастерская Андреева М.	M.Andreev Workshop
1867	1867
6,4 х 6,0 х 4,4	

Шкатулка	Box
Серебро	Silver
Скань, зернь	Filigree, granulation
Москва	Moscow
Мастерская Тихонова А.	A.Tikhonov Workshop
1840–1850-е гг.	Circa 1840–1850
6,5 х 8,1 х 6,7	

15

Шкатулка — **Box**
Серебро — Silver
Скань — Filigree
Москва. Мастерская — Moscow. V.I.Ionov
Ионова В.И. 1861 — Workshop. 1861
5,4 x 6,1 x 4,3

Копилка в виде кружки с крышкой — **Money-Box in the Shape of a Covered Tankard**
Серебро — Silver
Скань — Filigree
Москва. Мастерская — Moscow. M.Andreev
Андреева М. 1882 — Workshop. 1882
7,7 x 6,0 x 7,0

16

Кошелек — **Purse**
Серебро, кожа, шелк — Silver, leather, silk
Гравировка, чернь, канфарение — Engraving, niello, pouncing
Россия. Вторая пол. 19-го века — Russia. Second half of the 19th century
2,0 x 7,3 x 6,0

17

Солонка в виде берестяного туеска (кузовка) — **Salt-Cellar in the Shape of a Birch Bark Box**
Серебро — Silver
Штамп, гравировка, золочение — Stamp, engraving, gilding
Москва. Фирма Матиссена 1869 — Moscow. Firm of Matissen 1869
7,2 x 8,0 x 5,0

18

Скульптура „Тройка" — **Statuette „Troika"**
Серебро — Silver
Литье, чеканка, гравировка — Casting, chasing, engraving
Москва. Фирма Сазикова 1865 — Moscow. Firm of Sazikov 1865
11,5 x 23,0 x 13,0

19

Портсигар — **Cigarette Case**
Серебро — Silver
Плетение — Weaving
Москва. Мастерская Головина А.Ф. 1864 — Moscow. A.F.Golovin Workshop. 1864
2,0 x 11,5 x 6,7

20

Предметы из письменного прибора: подсвечники и чернильница — **Desk-Set Pieces: Candlesticks and Inkstand**
Серебро — Silver
Гравировка — Engraving
Петербургский филиал Фирма Сазикова — Petersburg Branch Firm of Sazikov
1870-е гг. — 1870s
6,2 x 11,8 x 10,5
8,6 x 17,5 x 17,5

21

Ларец „Теремок" — **Casket „Teremok"**
Серебро, эмаль — Silver, enamel
Скань, эмаль, канфарение — Filigree, enamel, pouncing

Москва. Фирма Овчинникова. 1878 — Moscow. Firm of Ovchinnikov. 1878
19,7 x 19,4 x 13,9

22

Ложка столовая — **Tablespoon**
Серебро, эмаль — Silver, enamel
Литье, гравировка, эмаль, золочение — Casting, engraving, enamel, gilding
Москва. Фирма Хлебникова. 1875 — Moscow. Firm of Khlebnikov. 1875
19,5 x 5,3 x 1,4

23

Фрагмент ложки столовой (к № 22) — **Detail of Tablespoon** (No 22)

24

Подстаканники — **Glass-Holders**
Серебро — Silver
Гравировка, золочение — Engraving, gilding
Петербург. 1880 — Petersburg. 1880
Москва. Мастерская Баладанова В.Е. 1878 — Moscow. V.E.Baladanov Workshop. 1878
10,1 x 10,3 x 8,2
9,4 x 11,5 x 7,8

25

Самовар — **Samovar**
Серебро, кость — Silver, bone
Литье, выколотка, чеканка, золочение — Casting, repoussé, chasing, gilding
Петербург. Мастерская Никитина Н. 1870 — Petersburg. N.Nikitin Workshop. 1870
47,8 x 34,0 x 36,0

26

Чайница — **Tea-Box**
Серебро — Silver
Литье, штамп, чеканка, гравировка, золочение — Casting, stamp, chasing, engraving, gilding
Москва. Фабрика Кузмичева. 1880 — Moscow. Firm of Kuzmichev 1880
18,0 x 11,5 x 11,5

27

Фрагмент чайницы (к № 26) — **Detail of Tea-Box** (No 26)

28

Фрагмент подстаканника (к № 29) — **Detail of Glass-Holder** (No 29)

29

Подстаканник — **Glass-Holder**
Серебро — Silver
Литье, просечка, штамп, гравировка, золочение — Casting, open-work, stamp, engraving, gilding
Москва. Фирма Милюкова. 1870-е гг. — Moscow. Firm of Milyukov. 1870s
8,8 x 11,4 x 8,0

30

Сухарница — **Cake Basket**
Серебро — Silver
Плетение, штамп, чеканка, гравировка, золочение — Weaving, stamp, chasing, engraving, gilding
Москва. Фирма Милюкова. 1879 — Moscow. Firm of Milyukov. 1879
6,0 x 33,0 x 23,0

31

Подстаканник — Glass-Holder
Серебро — Silver
Литье, штамп — Casting, stamp
Москва. Фирма — Moscow. Firm
Сазикова. 1880-е гг. — of Sazikov. 1880s
8,8 x 12,0 x 7,8

32

Подстаканник — Glass-Holder
Серебро, эмаль — Silver, enamel
Литье, штамп, гравировка, — Casting, stamp, engraving,
эмаль, золочение — enamel, gilding
Москва. 1885 — Moscow. 1885
8,0 x 12,0 x 12,0

33

Фрагмент подстаканника — Detail of Glass-Holder
(к № 32) — (No 32)

34

Ликерный прибор — Liqueur Set
Серебро, стекло — Silver, glass
Штамп, чеканка, гравировка — Stamp, chasing, engraving
Петербург. 1882 — Petersburg. 1882

35

Подстаканник со стаканом — Glass-Holder with a Glass
Серебро, стекло — Silver, glass
Литье, штамп, гравировка, — Casting, stamp, engraving,
золочение — gilding
Петербург. 1882 — Petersburg. 1882
23,4 x 12,7 x 8,9

36

Портсигар — Cigarette Case
Серебро — Silver
Гравировка, чернь — Engraving, niello
Москва. Фабрика — Moscow. Firm
Клингерта. 1880 — of Klingert. 1880
5,3 x 29,0 x 9,5

37

Фрагмент портсигара — Detail of Cigarette Case
(к № 36) — (No 36)

38

Фрагмент портсигара — Detail of Cigarette Case
(к № 36) — (No 36)

39

Портсигар женский — Lady's Cigarette Case
Серебро, эмаль — Silver, enamel
Гравировка, эмаль, — Engraving, enamel,
золочение — gilding
Москва — Moscow
Фирма Хлебникова — Firm of Khlebnikov
1882 — 1882
2,5 x 8,8 x 4,5

40

Портсигар — Cigarette Case
Серебро, эмаль — Silver, enamel
Гравировка, эмаль, — Engraving, enamel,
золочение — gilding
Петербургский филиал — Petersburg Branch
Фирма Сазикова. 1870-е гг. — Firm of Sazikov. 1870s
2,0 x 7,5 x 13,0

41

Вазочка для конфет — Vase for Sweets
Серебро — Silver
Гравировка, оброн, — Engraving, embossed work
золочение — „obron", gilding
Москва. Фабрика Фульда — Moscow. Firm of Fuld
1884 — 1884
14,1 x 13,1 x 13,1

42

Фрагмент вазочки для конфет — Detail of Vase for Sweets
(к № 41) — (No 41)

43

Портсигар — Cigarette Case
Серебро, эмаль — Silver, enamel
Живопись, эмаль, — Painting, enamel,
золочение — gilding
Москва. Фирма — Moscow. Firm
Хлебникова. 1889 — of Khlebnikov. 1889
1,5 x 10,3 x 8,0

44

Сухарница — Cake Basket
Серебро — Silver
Гравировка, чернь, — Engraving, niello,
золочение, канфарение — gilding, pouncing
Москва. Фирма — Moscow. Firm
Овчинникова. 1887 — of Ovchinnikov. 1887
6,5 x 22,0 x 16,4

45

Фрагмент сахарницы — Detail of Sugar Bowl
из чайного сервиза (к № 46) — (No 46)

46

Предметы из чайного сервиза: — Tea-Set Pieces:
совочек для сахара, — Sugar Shovel,
сливочник, полоскательница — Creamer,
для чашек, сахарница, — Bowl, Sugar Bowl,
чайник для заварки, — Tea-Pot,
чайник для кипятка — Hot Water Pot
Серебро — Silver
Гравировка, чернь, — Engraving, niello,
золочение, канфарение — gilding, pouncing
Москва — Moscow
Фирма Овчинникова — Firm of Ovchinnikov
1887 — 1887
1,0 x 9,8 x 3,6
9,5 x 10,5 x 7,0
8,5 x 14,0 x 14,0
11,1 x 12,6 x 8,5
11,8 x 15,7 x 10,0
12,4 x 19,2 x 11,2

47

Фрагмент: чайник — Detail: Tea-Pot from
из чайного сервиза (к № 46) — Tea-Set Pieces (No 46)

48

Фрагмент чайника — Detail of Tea-Pot
из чайного сервиза (к № 47) — (No 47)

49

Молочник — Milk Jug
Серебро — Silver
Гравировка, чернь, — Engraving, niello,
канфарение — pouncing

Москва. Фирма   Moscow. Firm
Семенова. 1889   of Semyonov. 1889
9,3 x 8,0 x 11,1

50
Стопа   **Beaker**
Серебро   Silver
Гравировка, золочение Engraving, gilding
Москва. Мастерская   Moscow. I.F.Andreev
Андреева И.Ф. 1883   Workshop. 1883
9,0 x 7,1 x 7,1

51
Солонка   **Salt-Cellar**
Серебро, эмаль   Silver, enamel
Гравировка, эмаль,   Engraving, enamel,
золочение   gilding
Москва. 1880-е гг.   Moscow. 1880s
13,8 x 10,0 x 8,2

52
Фрагмент солонки **Detail of Salt-Cellar**
(к № 51)   (No 51)

53
Молочник   **Milk Jug**
Серебро   Silver
Литье, чеканка   Casting, chasing
Москва   Moscow
Фирма Овчинникова   Firm of Ovchinnikov
1889   1889
8,8 x 12,3 x 7,8

54
Фрагмент молочника (к № 53)   **Detail of Milk Jug** (No 53)

55
Солонка   **Salt-Cellar**
Серебро   Silver
Гравировка, просечка Engraving, open-work
Москва   Moscow
Мастерская Голощапова М. M.Goloschapov Workshop
1893   1893
12,9 x 11,1 x 6,0

56
Фрагмент солонки **Detail of Salt-Cellar**
(к № 55)   (No 55)

57
Молочник   **Milk Jug**
Серебро, эмаль   Silver, enamel
Скань, эмаль, канфарение Filigree, enamel, pouncing
Москва. 1880-е гг.   Moscow. 1880s
9,5 x 15,0 x 8,9

58
Сухарница   **Cake Basket**
Серебро, эмаль   Silver, enamel
Штамп, чеканка, скань, Stamp, chasing, filigree,
эмаль, золочение   enamel, gilding
Петербургский филиал Petersburg Branch
Фирма Овчинникова   Firm of Ovchinnikov
1880–1890-е гг.   Circa 1880–1890
5,0 x 28,3 x 23,5

59
Шкатулка   **Box**
Серебро, эмаль   Silver, enamel

Гравировка, эмаль   Engraving, enamel
Москва. 1890   Moscow. 1890
6,8 x 14,5 x 9,7

60
Ваза   **Vase**
Серебро, эмаль   Silver, enamel
Штамп, скань, эмаль, Stamp, filigree, enamel,
канфарение   pouncing
Петербург. Мастерская Petersburg
Каторского И.И.   I.I.Katorsky Workshop
1880–1890-е гг.   Circa 1880–1890
17,1 x 21,8 x 15,2

61
Ручка и нож   **Pen and**
для разрезания бумаг **Paper-Knife**
Серебро, эмаль   Silver, enamel
Скань, эмаль, золочение Filigree, enamel, gilding
Петербург. Фабрика   Petersburg. Firm of Dalman
Дальмана. 1880–1890-е гг. Circa 1880–1890
0,3 x 19,0 x 0,9
0,7 x 19,0

62
Ваза для фруктов **Fruit Vase**
Серебро, хрусталь   Silver, rock crystal
Литье, штамп   Casting, stamp
Петербург   Petersburg
Фирма „Братья Грачевы" Grachev Brothers
1895   1895
30,0 x 28,0 x 28,0

63
Молочник   **Milk Jug**
Серебро   Silver
Гравировка, золочение, Engraving, gilding,
канфарение   pouncing
Москва. 1893   Moscow. 1893
10,0 x 9,3 x 8,1

64
Фрагмент молочника (к № 63) **Detail of Milk Jug** (No 63)

65
Предметы из письменного **Desk-Set Pieces:**
прибора: шкатулка, **Box, Pen,**
ручка, печатка, чернильница, **Signet, Inkstand,**
пресс-папье   **Paper-Weight**
Серебро, оникс, перламутр Silver, onyx, pearl
Литье, гравировка, золочение Casting, engraving, gilding
Петербургский филиал Petersburg Branch
Фирма Овчинникова. 1896 Firm of Ovchinnikov. 1896

66
Письменный прибор в футляре: **Desk-Set in Fitted Case:**
футляр, блокнот, **Case, Notebook,**
пресс-папье, шкатулка, **Paper-Weight, Box,**
чернильница, нож **Inkstand,**
для разрезания бумаг, **Paper-Knife,**
ручка, печатка   **Pen, Signet**
14,5 x 47,0 x 36,0
2,0 x 11,2 x 8,0
10,0 x 12,0 x 7,0
4,5 x 11,5 x 7,5
11,8 x 8,4 x 8,4
1,3 x 18,5
2,3 x 6,6
6,6 x 2,3 x 2,3

166

67

Фрагмент пресс-папье	Detail of Paper-Weight
(к № 65)	(No 65)

68

Ложка для компота	Compote Spoon
Ложка для салата	Salad Spoon
Серебро, фарфор	Silver, porcelain
Гравировка, роспись,	Engraving, painting,
золочение	gilding
Московский филиал	Moscow Branch
Фирма Фаберже. 1892	Firm of Fabergé. 1892
2,0 x 29,4 x 5,0	
1,1 x 29,1 x 5,1	

69

Чашка чайная с блюдцем	Tea-Cup with Saucer
и чайной ложкой	and Tea-Spoon
Серебро	Silver
Лак, роспись, золочение	Lacquer painting, gilding
Петербург. 1899–1903-е гг.	Petersburg. Circa 1899–1903
6,2 x 8,9 x 6,3	
2,2 x 13,2 x 13,2	

70

Ложка для компота	Compote Spoon
Серебро	Silver
Гравировка, чернь,	Engraving, niello,
золочение, канфарение	gilding, pouncing
Москва. Мастерская	Moscow. F.K.Jartsev
Ярцева Ф.К. 1890-е гг.	Workshop. 1890s
1,8 x 18,8 x 6,0	

71

Фрагмент ложки для компота	Detail of Compote Spoon
(к № 70)	(No 70)

72

Подставка для ножей	Knife-Holder
Серебро	Silver
Штамп, литье	Stamp, casting
Москва. Фирма	Moscow. Firm
Курлюкова. 1890-е гг.	of Kurlyukov. 1890s
34,0 x 13,0	

73

Подстаканник	Glass-Holder
Серебро, эмаль	Silver, enamel
Скань, эмаль	Filigree, enamel
Москва. Фирма	Moscow. Firm
Немирова-Колодкина. 1890-е гг.	of Nemirov-Kolodkin. 1890s
8,1 x 6,3 x 9,3	

Стопка	Beaker
Серебро, эмаль	Silver, enamel
Скань, эмаль, золочение	Filigree, enamel, gilding,
канфарение	pouncing
Россия, 1899–1908-е гг.	Russia. Circa 1899–1908
5,0 x 4,0 x 4,0	

74

Подстаканник	Glass-Holder
Серебро, эмаль	Silver, enamel
Литье, скань, эмаль,	Casting, filigree, enamel,
золочение, канфарение	gilding, pouncing
Москва. Фирма	Moscow. Firm
Овчинникова. 1894	of Ovchinnikov. 1894
10,4 x 11,5 x 7,4	

75

Кольца салфеточные	Napkin Rings
Серебро, эмаль	Silver, enamel
Скань, эмаль, роспись,	Filigree, enamel, painting,
золочение, канфарение	gilding, pouncing
Москва. 1880–1900-е гг.	Moscow. Circa 1880–1900
3,6 x 5,2 x 3,1	
4,0 x 4,8 x 4,8	

76

Ложки десертные	Dessert Spoons
Серебро, эмаль	Silver, enamel
Скань, эмаль, золочение	Filigree, enamel, gilding
Москва. 1899	Moscow. 1899
0,9 x 14,7 x 3,0	
1,2 x 13,8 x 2,8	

Подстаканник	Glass-Holder
Серебро, эмаль	Silver, enamel
Литье, скань, эмаль,	Casting, filigree, enamel,
роспись, золочение	pouncing, gilding
Москва. Фирма	Moscow. Firm
Салтыкова. 1894	of Saltykov. 1894
9,5 x 11,5 x 8,5	

77

Солонка	Salt-Cellar
Серебро, эмаль	Silver, enamel
Скань, эмаль, золочение	Filigree, enamel, gilding
Москва. 1899–1908-е гг.	Moscow. Circa 1899–1908
3,5 x 4,2 x 4,2	

Солонка	Salt-Cellar
Серебро, эмаль	Silver, enamel
Скань, эмаль	Filigree, enamel
Москва. Фирма	Moscow. Firm
Немирова-Колодкина. 1895	of Nemirov-Kolodkin. 1895
4,8 x 8,0 x 8,0	

78

Солонка	Salt-Cellar
Серебро, эмаль	Silver, enamel
Скань, эмаль, золочение	Filigree, enamel, gilding
Москва. 1890-е гг.	Moscow. 1890s
3,0 x 5,1 x 5,1	

Солонка	Salt-Cellar
Серебро, эмаль	Silver, enamel
Скань, эмаль, роспись	Filigree, enamel, painting
Москва. Фирма	Moscow. Firm
Хлебникова. 1880	of Khlebnikov. 1880
4,0 x 6,0 x 6,0	

Чарка	Beaker ("Charka")
Серебро, эмаль	Silver, enamel
Скань, эмаль, золочение	Filigree, enamel, gilding
Москва	Moscow
Фирма Курлюкова	Firm of Kurlyukov
1880-е гг.	1880s
4,2 x 7,5 x 7,5	

79

Яйца пасхальные	Easter Eggs
Серебро, эмаль	Silver, enamel
Скань, эмаль, роспись,	Filigree, enamel, painting,
золочение, канфарение	gilding, pouncing
Москва. Фабрика	Moscow
Агафонова (малое); фабрика	Firm of Agafonov (small egg);

Алексеева (большое) Firm of Alekseev (big egg)
1890–1900-е гг. Circa 1890–1900
9,1 x 6,5 x 6,5
5,0 x 7,0 x 7,0

80

Икона „Иверская Богоматерь"   **Icon of the Iverskaya Mother**
в окладе   **of God in Frame**
Серебро, эмаль   Silver, enamel
Штамп, чеканка, скань,   Stamp, chasing, filigree,
эмаль, золочение, темпера   enamel, gilding, tempera
Москва. 1880–1890-е гг.   Moscow. Circa 1880–1890
25,5 x 20,8 x 5,0

81

Ложки для компота   **Compote Spoons**
Серебро, эмаль   Silver, enamel
Скань, эмаль, золочение   Filigree, enamel, gilding
Москва. 1890–1900-е гг.   Moscow. Circa 1890–1900
1,9 x 19,0 x 6,1
2,0 x 16,4 x 5,8
1,1 x 18,4 x 6,1

82

Ложки десертные   **Dessert Spoons**
Серебро, эмаль   Silver, enamel
Скань, эмаль, роспись,   Filigree, enamel, painting,
золочение   gilding
Москва. 1900-е гг.   Moscow. 1900s
0,8 x 15,2 x 3,0

Чашка   **Cup**
Серебро, эмаль   Silver, enamel
Скань, эмаль, золочение   Filigree, enamel, gilding
Москва. 1900-е гг.   Moscow. 1900s
7,0 x 6,0 x 9,5

83

Пояс женский   **Lady's Belt**
Серебро, эмаль   Silver, enamel
Скань, эмаль   Filigree, enamel
Москва. Мастерская   Moscow. E.T.Samoshin
Самошина Е.Т. 1900-е гг.   Workshop. 1900s
0,1 x 83,0 x 7,0

84

Пояс женский   **Lady's Belt**
Серебро   Silver
Гравировка, чернь   Engraving, niello
Петербург. Мастерская   Petersburg. Khodzhaev
Ходжаева. 1900-е гг.   Workshop. 1900s
1,5 x 83,0 x 5,5

85

Ложка для компота   **Compote Spoon**
Серебро, эмаль   Silver, enamel
Скань, эмаль, роспись,   Filigree, enamel, painting
золочение   gilding
11-я Московская   11th Moscow Artel
артель. 1908–1917-е гг.   Circa 1908–1917
2,0 x 19,4 x 6,4

86

Фрагмент ложки для компота   **Detail of Compote Spoon**
(к № 85)   (No 85)

87

Пудреницы   **Powder Cases**
Серебро, эмаль   Silver, enamel

Скань, эмаль, роспись,   Filigree, enamel, painting,
золочение   gilding
Москва. Мастерская   Moscow. G.M.Sbitnev
Сбитнева Г.М. 1908   Workshop. 1908
11-я Московская артель   11th Moscow Artel
1908–1917-е гг.   Circa 1908–1917
Петербург. 1908–1917-е гг.   Petersburg. Circa 1908–1917
1,8 x 4,0 x 4,0
2,7 x 6,0 x 6,0
4,9 x 5,5 x 5,5

88

Чарка   **Beaker („Charka")**
Серебро, эмаль   Silver, enamel
Скань, эмаль, золочение,   Filigree, enamel, gilding,
канфарение   pouncing
Москва. 1900–1908-е гг.   Moscow. Circa 1900–1908
4,5 x 16,5 x 11,0

89

Чарка в виде ковшика   **Scoop-shaped Beaker („Charka")**
Серебро, эмаль   Silver, enamel
Скань, эмаль, роспись,   Filigree, enamel, painting,
золочение   gilding
Москва. 1900–1908-е гг.   Moscow. Circa 1900–1908
3,8 x 9,0 x 5,8

Чарка в виде ковшика   **Scoop-shaped Beaker („Charka")**
Серебро, эмаль   Silver, enamel
Скань, эмаль, роспись,   Filigree, enamel, painting,
золочение   gilding
Москва. Мастерская   Moscow. M.I.Sokolova
Соколовой М.И. 1909   Workshop. 1909
4,6 x 11,0 x 6,2

Сливочник   **Creamer**
Серебро, эмаль   Silver, enamel
Скань, эмаль, роспись,   Filigree, enamel, painting,
золочение   gilding
Москва. 1908–1917-е гг.   Moscow. Circa 1908–1917
7,5 x 13,0 x 6,0

90

Портсигар   **Cigarette Case**
Серебро, эмаль   Silver, enamel
Скань, эмаль, золочение,   Filigree, enamel, gilding,
канфарение   pouncing
Москва. 1908–1917-е гг.   Moscow. Circa 1908–1917
1,2 x 10,5 x 6,9

91

Фрагмент портсигара   **Detail of Cigarette Case**
(к № 90)   (No 90)

92

Ковш-братина (для пива)   **Scoop (Loving Cup) for Beer**
Серебро, эмаль   Silver, enamel
Скань, зернь, эмаль,   Filigree, granulation,
роспись, золочение   enamel, painting, gilding
11-я Московская артель   11th Moscow Artel
1908–1917-е гг.   Circa 1908–1917
18,1 x 20,0 x 36,0

93

Фрагмент ковша-братины   **Detail of Scoop (Loving Cup)**
(к № 92)   **for Beer** (No 92)

94

Фрагмент вазы (к № 95)   **Detail of Vase** (No 95)

95

Ваза — **Vase**
Серебро, эмаль, — Silver, enamel,
полудрагоценные камни — semi-precious stones
Скань, эмаль, роспись, — Filigree, enamel,
золочение — painting, gilding
Москва. Фирма — Moscow. Firm of Ovchinnikov
Овчинникова. 1900–1908-е гг. — Circa 1900–1908
35,4 x 26,0 x 18,5

96

Подстаканник — **Glass-Holder**
Серебро, эмаль, — Silver, enamel
Просечка, эмаль, золочение — Open-work, enamel, gilding
Россия. 1900-е гг. — Russia. 1900s
9,3 x 12,4 x 9,0

97

Сумочка дамская — **Lady's Bag**
Серебро, эмаль — Silver, enamel
Кольчужное плетение, — Ring-weaving, filigree,
скань, эмаль, роспись — enamel, painting
Москва. 1908–1917-е гг. — Moscow. Circa 1908–1917
20,0 x 0,8 x 15,5

98

Пудреница — **Powder Box**
Серебро, эмаль, — Silver, enamel,
Гильошир, — "Guilloché",
золочение — gilding
Петербург. Фирма Фаберже — Petersburg. Firm of Fabergé
1908–1917-е гг. — Circa 1908–1917
1,8 x 3,8 x 3,8

Стопка — **Beaker**
Серебро, эмаль — Silver, enamel
Гильошир, эмаль, золочение — "Guilloché", enamel, gilding
Петербург — Petersburg
Фирма „Братья Грачевы" — Grachev Brothers
1900–1903-е гг. — Circa 1900–1903
5,3 x 4,6 x 4,6

99

Чарка в виде бочонка — **Barrel-shaped Beaker ("Charka")**
Серебро — Silver
Гравировка — Engraving
Петербург. Мастерская — Petersburg. A.K.Karpov
Карпова А.К. 1900-е гг. — Workshop. 1900s
3,8 x 2,7 x 2,7

Чарка в виде кружки — **Tankard-shaped "Charka"**
Серебро — Silver
Гравировка, золочение — Engraving, gilding
Костромская губерния — Kostroma Province
Мастер Манилов И.З. — Workmaster I.Z.Manilov
1908–1917-е гг. — Circa 1908–1917
5,2 x 4,9 x 3,3

Чарка в виде кружки — **Tankard-shaped "Charka"**
Серебро — Silver
Гравировка, золочение — Engraving, gilding
Москва. Фабрика — Moscow. Firm
Абросимова. 1900-е гг. — of Abrosimov. 1900s
4,5 x 5,5 x 3,5

Подстаканник в виде бочонка — **Barrel-shaped Glass-Holder**
Серебро — Silver
Гравировка — Engraving

Москва. 1900–1908-е гг. — Moscow. Circa 1900–1908
6,0 x 9,5 x 6,7

Подстаканник — **Glass-Holder**
Серебро — Silver
Гравировка — Engraving
Петербург — Petersburg
1900–1908-е гг. — Circa 1900–1908
8,9 x 6,8 x 6,8

100

Кольца салфеточные — **Napkin Rings**
Серебро, холодная эмаль — Silver, lacquer enamel
Штамп, гравировка, — Stamp, engraving,
холодная эмаль, роспись, — lacquer enamel,
золочение — painting, gilding
Москва. 1908–1917-е гг. — Moscow. Circa 1908–1917
4,4 x 7,6 x 3,0

101

Фрагмент салфеточного — **Detail of Napkin Ring**
кольца (к № 100) · — (No 100)

102

Подстаканник для кофейной — **Glass-Holder for**
чашки — **a Coffee Cup**
Серебро — Silver
Штамп, просечка — Stamp, open-work
Москва. Фабрика Агафонова — Moscow. Firm of Agafonov
1900-е гг. — 1900s
7,2 x 8,2 x 5,6

Сливочник — **Creamer**
Серебро — Silver
Литье, золочение — Casting, gilding
Москва. Фирма — Moscow. Firm
Овчинникова. 1900-е гг. — of Ovchinnikov. 1900s
8,1 x 10,7 x 6,5

Молочник — **Milk Jug**
Серебро — Silver
Штамп, гравировка, золочение — Stamp, engraving, gilding
Россия. 1900-е гг. — Russia. 1900s
9,5 x 11,3 x 7,8

103

Предметы из чайного сервиза: — **Tea-Set Pieces:**
чайник, молочник — **Tea-Pot, Milk Jug**
Серебро — Silver
Штамп, золочение — Stamp, gilding
Петербург. Фирма — Petersburg
„Братья Грачевы" — Grachev Brothers
1908–1917-е гг. — Circa 1908–1917
14,2 x 18,5 x 8,6
9,0 x 11,2 x 5,6

104

Кувшин — **Jug**
Серебро, хрусталь — Silver, crystal
Штамп — Stamp
Петербург — Petersburg
Мастерская Аллениуса И.И. — I.I.Allenius Workshop
1900-е гг. — 1900s
30,0 x 20,3 x 10,1

105

Ваза для фруктов — **Fruit Vase**
Серебро, хрусталь — Silver, crystal
Литье, штамп, чеканка — Casting, stamp, chasing

Московский филиал Moscow Branch
Фирма Фаберже. После 1908 Firm of Fabergé. After 1908
40,5 x 21,3 x 21,3

106

Фрагмент крюшонницы **Detail of Cocktail Bowl**
(к № 107) (No 107)

107

Крюшонница **Cocktail Bowl**
с разливательной ложкой **and Ladle**
Серебро, хрусталь Silver, crystal
Штамп, гравировка Stamp, engraving
Россия. Начало 20-го века Russia. Early 20th century
24,0 x 32,0 x 32,0

108

Ваза для фруктов **Fruit Vase**
Серебро, хрусталь Silver, crystal
Литье, штамп Casting, stamp
Московский филиал Moscow Branch
Фирма Фаберже Firm of Fabergé
После 1908 After 1908
14,0 x 48,0 x 30,5

109

Фрагмент вазы для фруктов **Detail of Fruit Vase**
(к № 108) (No 108)

110

Фрагмент вазы (к № 111) **Detail of Vase** (No 111)

111

Ваза **Vase**
Серебро, хрусталь Silver, crystal
Штамп Stamp
Москва. Фирма Лорие Moscow. Firm of Lorié
1912 1912
47,5 x 17,1 x 17,1

112

Лампа электрическая **Electric**
настольная **Desk Lamp**
Серебро, родонит (орлец) Silver, rhodonite ("orlets")
Литье, штамп Casting, stamp
Петербург. Фирма Фаберже Petersburg. Firm of Fabergé
1910-е гг. 1910s
59,0 x 13,0 x 13,0

113

Шкатулка **Box**
Серебро, яшма Silver, jasper
Штамп, золочение Stamp, gilding
Петербург. Фирма Фаберже Petersburg. Firm of Fabergé
1910-е гг. 1910s
5,0 x 8,5 x 6,5

114

Портсигар **Cigarette Case**
с изображением воина **with a Depiction of a Warrior**
Серебро Silver
Штамп, золочение (внутри) Stamp, gilding (inside)
Москва. После 1908 Moscow. After 1908
1,5 x 10,9 x 7,9

Портсигар со сценой **Cigarette Case with**
„Крестьянин на пашне" **"Peasant Ploughing" Scene**
Серебро Silver
Штамп, золочение (внутри) Stamp, gilding (inside)

Москва. Мастерская Moscow. K.I.Skvortsov
Скворцова К.И. После 1908 Workshop. After 1908
1,4 x 11,5 x 9,0

115

Фрагмент подстаканника **Detail of Glass-Holder**
Серебро Silver
Штамп Stamp
Москва. Фабрика Moscow. Firm of Abrosimov
Абросимова. 1900–1908-е гг. Circa 1900–1908

116

Складень **Folding Icon**
Серебро, стекло Silver, glass, pearl,
перламутр, аметисты amethyst
Литье, скань, золочение Casting, filigree, gilding
Москва. Фирма Moscow. Firm
Хлебникова. После 1908 of Khlebnikov. After 1908
13,8 x 7,4 x 1,2

117

Фрагмент складня **Detail of Folding Icon**
(к № 116) (No 116)

118

Фрагмент ларца (к № 119) **Detail of Casket** (No 119)

119

Ларец **Casket**
Серебро, сердолики Silver, cornelian
Чеканка, золочение Chasing, gilding
Москва. После 1908 Moscow. After 1908
27,3 x 28,7 x 18,2

120

Шкатулка **Box**
Серебро, эмаль, дерево Silver, enamel, wood
Скань, эмаль Filigree, enamel
Россия. Начало 20-го в. Russia. Early 20th century
6,0 x 21,0 x 13,5

121

Подлампадник **Icon Lamp Holder**
Серебро, эмаль Silver, enamel
Скань, эмаль, роспись, Filigree, enamel, painting,
золочение, канфарение gilding, pouncing
Москва. 1900–1908-е гг. Moscow. Circa 1900–1908
13,3 x 12,4 x 12,4

122

Фрагмент подлампадника **Detail of Icon Lamp Holder**
(к № 121) (No 121)

Библиография   Bibliography

Борисова Е.А. „Неорусский" стиль в русской архитектуре предреволюционных лет // Из истории русского искусства второй половины XIX – начала XX вв. М., 1978.

Борисова Е.А. Русская архитектура второй половины XIX в. М., Наука, 1979.

Борисова Е.А., Стернин Г.Ю. Русский модерн. М., Советский художник, 1990.

Бреполь Э. Художественное эмалирование. Л., Машиностроение, 1986.

Гольдберг Т.Г., Мишуков Р.Я., Платонова Н.Г., Постникова-Лосева М.М. Русское золотое и серебряное дело XV – XX веков. М., 1967.

Калязина Н.В., Комелова Г.Н., Косточкина Н.Д., Костюк О.Г., Орлова К.А. Русская эмаль XII – начала XX века из собрания Государственного Эрмитажа. Л., Художник РСФСР, 1987.

Кириченко Е.И. Интерьер русского модерна (1900–1910) // Декоративное искусство СССР. 1970. № 10.

Кириченко Е.И. Модерн. К вопросу об истоках и типологии // Советское искусствознание. М., 1979. Вып. 78/1.

Коварская С.Я., Костина И.Д., Шакурова Е.В. Русское серебро XIV – начала XX веков из фондов Государственных музеев Московского Кремля. М., Советская Россия, 1984.

Левинсон Н.Р., Гончарова Л.Н. Русская художественная бронза. М., Советская Россия, 1958.

Писарская Л.В., Платонова Н.Г., Ульянова Б.Л. Русские эмали XI – XIX вв. М., 1974.

Популярная художественная энциклопедия. М., Большая Советская энциклопедия, 1986. Ч. I, II.

Постникова-Лосева М.М., Платонова Н.Г., Ульянова Б.Л. Русское черневое искусство, его центры и мастера XVI – XIX вв. М., 1974.

Постникова-Лосева М.М. Русская золотая и серебряная скань. М., 1981.

Постникова-Лосева М.М., Платонова Н.Г., Ульянова Б.Л. Золотое и серебряное дело XV – XX вв. М., Наука, 1983.

Пупарев А.А. Художественная эмаль. М., 1948.

Разина Т.М. Русская эмаль и скань. М., 1961.

Русское искусство первой половины XIX – начала XX вв. // Сб. науч. тр. Всероссийского музея декоративно-прикладного и народного искусства. М., 1992.

Сарабьянов Д.В. Стиль модерн. М., 1989.

Скурлов В., Смородинова Г. Фаберже и русские придворные ювелиры. М., Терра, 1992.

Фаберже. Пасхальные яйца. Каталог. Перевод. США. Сан-Диего, 1989.

Флеров А.В. Технология художественной обработки металлов. М., 1968.

Эстетика. Словарь. М., Политическая литература, 1989.

Гилодо А.А.

Г47   Русское серебро: вторая половина 19 – начало 20 века:
Альбом. – М.: БЕРЕСТА, 1994. – 172 с.: ил. – (Русский художественный металл). – На англ., рус. яз.

ISBN 5-7460-0001-9

В альбоме рассказывается о формировании „русского стиля" в художественном
серебре России 2-й пол. 19 – нач. 20 века на экспонатах из собрания Всероссийского
музея декоративно-прикладного искусства (Москва).
    Для коллекционеров, устроителей аукционов, лиц, связанных с торговлей анти-
квариатом, музейных работников, а также для широкого круга читателей, интересу-
ющихся искусством.

ББК 85.12

ГИЛОДО Андрей Акимович

**Русское серебро: вторая половина 19 – начало 20 века
Из собрания Всероссийского музея декоративно-прикладного и народного искусства (Москва)**

Альбом (на англ., рус. яз.)

Редактор Т.В.Левичева
Перевод Е.Н.Кучеровой
Редактор перевода Джилл Пэрри Блонски

ИБ № 13
Сдано в печать 08.11.93. Подписано в печать 25.01.94.
Формат 60x90 1/8. Гарнитура Гельветика. Печать офсетная.
Усл. печ. л. 21,5. Усл. кр.-отт. 87,5. Уч.-изд. л. 17,87. Изд. № 1
Издательский дом БЕРЕСТА
105613, Москва, Измайловское ш., 71.
Printed and bound in Austria